PC

CW00696093

LA CRISE DU MILIEU
DE LA VIE

FRANÇOISE MILLET-BARTOLI

LA CRISE DU MILIEU DE LA VIE

Une deuxième chance

Odile Jacob

poches

© Odile Jacob, 2002, février 2006
15, rue Soufflot, 75005 Paris

www.odilejacob.fr

ISBN : 978-2-7381-1693-2
ISSN : 1621-0654

À la mémoire de mon père.

Avant-propos

> « C'est tout à fait à l'improviste que nous arri-
> vons au midi de la vie ; pis encore, nous l'attei-
> gnons armés des idées préconçues, des idéaux, des
> vérités que nous avions jusqu'alors. Or il est
> impossible de vivre le soir de la vie d'après les
> mêmes programmes que le matin, car ce qui était
> alors de grande importance en aura peu mainte-
> nant et la vérité du matin sera l'erreur du soir. »
>
> C. G. JUNG, *L'Âme et la Vie*.

Il est une période de la vie dont on parle peu, contrairement à l'enfance ou à l'adolescence, et pourtant riche en changements : il s'agit de cette phase particulière de l'âge adulte,
assez longue de nos jours, qui est encore loin de la vieillesse,
mais plus tout à fait la jeunesse... Ce serait même, dit-on, « un
des secrets les mieux gardés de notre société et probablement
de l'histoire humaine[1] ». Cette période s'étend au moins entre
40 et 50 ans, parfois avant, parfois après. Pour certains d'entre
nous, elle évoque un nouveau départ ; pour d'autres, le déclin.
Elle s'accompagne de transformations personnelles parfois
très intérieures ou de bouleversements spectaculaires. On
parle alors de « crise du milieu de la vie ».

Or cette expression de « crise du milieu de la vie » prête à une double confusion. La première concerne l'idée de « milieu » qui, loin d'être arithmétique, est plutôt d'ordre symbolique : on peut lui préférer les termes de « midi » ou de « tournant » de la vie. La seconde confusion porte, évidemment, sur la notion de « crise » qui, de prime abord, suscite l'inquiétude. Pourtant, s'arrêter à cette conception étroite serait oublier que les crises, contrairement aux catastrophes, ont un versant constructif et salutaire.

À un moment donné, donc, de notre vie d'adultes, nous prenons conscience, clairement ou confusément, brusquement ou progressivement, de la finitude de l'existence. Jusque-là tournés vers l'avenir, nous commençons à regarder involontairement en arrière, à dresser le bilan de notre passé, à analyser ce que nous avons fait. Que la réussite ou l'échec prédomine, le milieu de la vie est justement ce moment où l'on prend de la distance vis-à-vis de soi-même, un moment de rupture dans la continuité et de déséquilibre relatif. Même dans la situation idéale qui serait de n'avoir aucun regret, des renoncements s'annoncent, inévitables, d'autant que le temps pour réaliser de nouveaux projets s'amenuise.

Le milieu de la vie est ce carrefour où il est possible de prendre un nouveau départ, selon que la route a été bonne ou chaotique. Certains décident, après réflexion, de continuer dans la même direction. D'autres, après un temps d'arrêt, bifurquent pour prendre un autre chemin qui leur paraît plus ou moins long, plus ou moins agréable, ne serait-ce que pour s'assurer qu'ils étaient bien sur la bonne voie. C'est à ce carrefour que les insatisfactions, les regrets et la perspective d'horizons limités peuvent s'organiser en crise. Les modes d'expression en sont multiformes, comme nous le verrons. À chacun de créer alors sa manière de subir ou de construire la « seconde » partie de sa vie et d'écrire, pourquoi pas, une nouvelle page de son existence. Puisse cet ouvrage y contribuer dans sa modeste mesure.

Chapitre premier

Le tournant de l'âge mûr

« Quand j'étais au milieu du cours de notre vie,
Je me vis entouré d'une sombre forêt,
Après avoir perdu le chemin le plus droit.
Ah ! Qu'elle est difficile à peindre avec des mots,
Cette forêt sauvage, impénétrable et drue
Dont le seul souvenir renouvelle ma peur !
À peine si la mort me semble plus amère. »

DANTE, *L'Enfer*.

De notre naissance à notre mort, nous traversons l'existence à la manière d'un voyage, en franchissant des étapes successives. Chacune d'entre elles nous apporte son lot de péripéties et de perspectives nouvelles, et nous transforme un peu chaque fois. Ces jalons sont des repères sur la carte du temps humain, qu'ils « découpent » chronologiquement ou symboliquement en périodes. Plusieurs divisions ont ainsi été proposées. De façon significative, la plupart d'entre elles réservent une place particulière à cette partie critique de l'âge adulte : la mi-vie.

UN ÂGE DE LA VIE PARMI D'AUTRES

La décennie du bilan

Selon le *Nei-King*, livre sacré de médecine chinoise, la vie se déroule par une succession de décennies. Elle suit une trajectoire ascendante jusqu'à 40 ans, âge de l'inflexion du processus vital, puis une courbe descendante.

Les décennies selon la médecine chinoise[1]

À l'âge de 10 ans, les organes de l'homme sont fermes, son énergie est concentrée vers le bas du corps, c'est pourquoi les enfants aiment toujours courir.

À l'âge de 20 ans, le sang et l'énergie sont en période de croissance, on se sent vif et léger.

À l'âge de 30 ans, les cinq organes sont en parfait fonctionnement, l'énergie et le sang sont à leur maximum d'intensité, la démarche est tranquille.

À l'âge de 40 ans, la chair et l'épiderme commencent à se relâcher, les cheveux tombent, l'énergie et le sang sont en équilibre, on aime à s'asseoir.

À l'âge de 50 ans, l'énergie du foie commence à s'affaiblir, la sécrétion biliaire diminue, l'acuité visuelle baisse.

À l'âge de 60 ans, l'énergie du cœur s'affaiblit, on a tendance au sommeil.

À l'âge de 70 ans, l'énergie de la rate diminue, la peau se dessèche.

À l'âge de 80 ans, l'énergie des poumons s'affaiblit, l'esprit commence à se troubler, on perd la mémoire, on se trompe en parlant.

À l'âge de 90 ans, l'énergie des reins s'affaiblit à son tour, l'homme s'épuise.

À l'âge de 100 ans, l'énergie des organes a disparu, l'esprit s'en va, il ne reste que le corps physique.

Cette façon d'envisager l'existence en séquences de dix années correspond à une approche surtout physiologique et énergétique de l'évolution des grandes fonctions physiques et intellectuelles de l'homme. De la même façon, la division en décennies de l'évolution psychologique et affective de l'âge adulte correspond à une certaine réalité, car la progression sur ce plan aussi se fait par étapes d'une dizaine d'années. À chacune d'entre elles, nous changeons en laissant un peu de nous-mêmes, nous franchissons un nouveau stade.

— *Autour de 20 ans*, le tout jeune adulte sort, bien ou mal, de l'adolescence. Pour lui, l'un des enjeux fondamentaux est l'acquisition de l'autonomie certes matérielle, mais avant tout psychologique et affective.

— *Entre 20 et 30 ans*, c'est l'étape de l'insertion sociale, de la concrétisation des choix élaborés, professionnels et personnels, et des engagements, comme celui du couple.

— *Entre 30 et 40 ans*, c'est l'étape des réalisations et de la construction, dictées par les choix. Déjà, vers la fin de cette période, certains, évaluant l'édifice, commencent à dresser un premier état des lieux.

— *La décennie 40-50 ans* se présente incontestablement sous la forme du bilan. De gré ou de force, nous pressentons que le temps est désormais compté jusqu'à la vieillesse, un peu comme un dimanche après-midi qui voit se rapprocher trop vite la fin du week-end. Le temps a rattrapé la liste des choses à faire. Ce moment-là est une plaque tournante : il faut réactualiser les projets de vie, et l'état d'esprit de chacun conditionne la suite de la traversée.

De l'adulte en herbe à l'adulte mûr

La difficulté pour l'adulte en herbe vient de l'opposition en lui de deux forces encore aussi puissantes l'une que l'autre : l'une l'incite à s'individualiser et à s'affirmer, l'autre l'attire vers le retour au confort et à la sécurité de l'enfance. Séparer sa propre conception du monde de celle de ses parents, faire la part entre ses convictions personnelles et les idéaux familiaux demande beaucoup d'efforts : les voyages, les éloignements par le biais des études, par exemple, sont certes des épreuves, mais ils permettent de tester seul et d'enrichir par à-coups sa capacité d'autonomie.

Ces séparations sont sans nul doute indispensables pour devenir soi-même : nous progressons toute notre vie par une série de ruptures. Cette première phase de l'âge adulte a des répercussions sur la façon d'aborder le cap de l'âge mûr. En effet, elle conditionne en grande partie l'avenir : beaucoup de choses se jouent, ou ne se jouent pas, justement, à ce moment-là. Moins les conflits se trouvent résolus et plus le risque de les voir resurgir plus tard, à la mi-vie notamment, est grand...

— *Entre 50 et 60 ans*, certains considèrent qu'il faut tracer une croix définitive sur ce qui n'a pas été réalisé et se préparent doucement à la retraite. D'autres estiment, au contraire, qu'il faut accélérer le pas, construire ou innover encore avant la soixantaine, bien que personne ne s'accorde sur l'âge de la vieillesse, encore moins les vieillards que les autres.

Sous le signe de Mars et de Jupiter

La division de la vie en sept âges telle qu'elle a été proposée par les Chaldéens est plus métaphorique. Elle repose, en effet, sur la connaissance des sept planètes. Ainsi, l'enfance est d'abord associée à la Lune « à cause de sa moiteur et de son humidité », puis à Mercure car « c'est l'âge où l'homme commence à parler distinctement et avec l'usage de raison [...] et s'adonne tout ensemble à l'apprentissage des arts et des lettres ». L'adolescence, elle, est symbolisée par Vénus « à cause qu'en cet âge l'homme commence à ressentir les aiguillons de la chair et d'être capable d'engendrer son semblable ». La jeunesse, ou quatrième âge, est représentée par le Soleil « d'autant que la beauté de l'homme reluit le plus en cet âge ». La virilité, cinquième âge, est reliée à Mars, car « l'homme en sa parfaite vigueur est plus assuré, résolu, courageux et plus capable de discipline et de conduite militaire ». Restent les sixième et septième périodes : la première vieillesse, âge de la pleine maturité, de l'expérience et du bon conseil, mais aussi de la gravité, est rattachée à Jupiter. Quant à la dernière vieillesse ou décrépitude, elle est vue comme l'âge de Saturne « à cause de sa froideur et faiblesse extrêmes ».

Quelques siècles plus tard, Shakespeare reprendra cette symbolique dans *Comme il vous plaira*, pointant de sa plume moqueuse les travers des sept actes du théâtre de la vie. L'adulte mûr en prend pour son compte, « plein de sages dictons et de banales maximes », avec sa « belle panse ronde garnie d'un bon chapon ».

La vie est un drame en sept actes

« C'est d'abord l'enfant vagissant et bavant dans les bras de la nourrice. Puis, l'écolier pleurnicheur, avec sa sacoche et sa face radieuse d'aurore, qui, comme un limaçon, rampe à contrecœur vers l'école. Et puis, l'amant, soupirant, avec l'ardeur d'une fournaise, une douloureuse ballade dédiée aux sourcils de sa maîtresse. Puis le soldat, plein de jurons étrangers, barbu comme un léopard, jaloux sur le point d'honneur, brusque et vif à la querelle, poursuivant la fumée réputation jusqu'à la gueule du canon. Et puis, le juge dans sa belle panse ronde garnie d'un bon chapon, l'œil sévère, la barbe solennellement taillée, plein de sages dictons et de banales maximes, et jouant, lui aussi, son rôle. Le sixième âge nous offre un maigre Pantalon en pantoufles, avec des lunettes sur le nez, un bissac au côté : les bas de son jeune temps bien conservés, mais infiniment trop larges pour son jarret racorni ; sa voix, jadis pleine de mâle, revenant au fausset enfantin et modulant un aigre sifflement. La scène finale, qui termine ce drame historique, étrange et accidenté, est une seconde enfance, état de pur oubli : sans dents, sans yeux, sans goût, sans rien. »

William Shakespeare, *Comme il vous plaira*.

Trois quarts du temps de la vie

L'hindouisme ancien distingue, lui, quatre âges de la vie en fonction des rôles différents que l'existence amène à jouer : l'âge de l'étudiant, l'âge du maître de maison, l'âge de la retraite au cours duquel l'homme part en pèlerinage et commence son apprentissage d'homme et, enfin, l'âge du *sannyasin*, celui de la sérénité. On remarquera l'éclairage globalement positif de cette conception de l'évolution existentielle, puisque la dernière partie de la vie est envisagée ici non pas sous l'angle du déclin ou de la décrépitude physique et intellectuelle, mais sous celui de la sérénité. Mais c'est, évidemment, une autre métaphore qui est liée au chiffre quatre dans l'esprit d'un grand nombre d'entre nous. Il s'agit, bien sûr, de celle des saisons. En 1978, dans *Les Saisons de la vie*, Daniel Levinson[2], professeur de psychologie à l'Université de Yale, a proposé, à partir d'une étude statistique, de caractériser chacune de ces saisons par une tâche spécifique, qu'il faut accomplir pour passer d'une phase à l'autre, en construisant une nouvelle structure pour sa vie. Selon lui, aucune de ces étapes ne dure plus de sept ou huit ans. Entre elles, des périodes de transition permettent aux changements de se mettre en place. Parmi elles, la « transition de la mi-vie » est la plus marquée. Elle se situe en principe entre 40 et 45 ans et permet au « jeune adulte » de devenir un « adulte mûr ». Quand elle est insuffisante, elle est relayée, ou en quelque sorte renforcée, par la transition de la cinquantaine, comme le montre le tableau de la page suivante.

En mettant l'accent sur la notion de transition, Levinson introduit, sans la nommer clairement, l'idée de crise en tant que période de changement pour passer d'une étape de la vie à une autre. Plutôt que de parler de crise, dont la connotation est souvent catastrophiste, certains préfèrent utiliser le terme de « passage[3] ».

4e saison : 3e âge		65 ans
	Transition adulte-âgé	
		60 ans
3e saison : adulte mûr	Transition de la cinquantaine	
		45 ans
	Transition de la mi-vie	
		40 ans
2e saison : jeune adulte		
		22 ans
	Transition jeunesse-adulte	
		17 ans
1re saison : enfance, adolescence		

Les quatre saisons
(D'après J. D. Levinson, 1978.)

Le crépuscule

Selon une dernière perspective, la vie peut s'envisager en cycles tout en restant dans un ordre chronologique. On peut, par exemple, prendre pour référence le cycle circadien et proposer le découpage suivant [4] :

— L'enfance, de la naissance jusqu'à la 15e année, correspond à l'aube.

— L'adolescence, entre 15 et 20 ans, équivaut à l'aurore.

— L'âge adulte, c'est-à-dire le jour, se déroule de 20 à 50 ans.

— La période 50-55 ans correspond à un moment critique, le crépuscule de la vie ou l'âge mûr. Comme pour l'adolescence, il est difficile d'en fixer les limites, elle peut durer entre cinq et dix ans. Souvent désignée dans le langage populaire sous le nom de « retour d'âge », on l'appelle aussi climatère, du grec *climatericos* qui désigne l'échelon d'une échelle et par extension le degré, en l'occurrence le cap de la vie à franchir.

Attention aux chiffres 7 et 9 ?

Pour les anciens Grecs, chaque 7e et 9e année correspond à une étape critique. Ces années passent pour décisives dans la vie humaine. Comme l'écrit Aulu-Gelle, « les années les plus périlleuses pour la vie et les biens de l'homme, que les Chaldéens appellent climatériques, se produisent tous les sept ans ». La 63e (7 × 9), année climatérique par excellence, signe l'entrée dans la vieillesse. Celle-ci, ainsi que la sénescence, est représentée par le soir qui tombe jusqu'à la fin du jour, lequel sonne le glas de la vie.

Entre générativité et stagnation

Psychanalyste d'origine allemande, émigré aux États-Unis pour fuir le nazisme, Erik Erikson s'installe à Berkeley où il développe son intérêt pour les problèmes d'identité au cours du développement psychosocial de l'individu. Ce fils d'une mère juive et d'un père qui l'a abandonné avant sa naissance répudie le nom de son beau-père pour créer le sien : Erik fils d'Erik, devenant ainsi son propre père. Par-delà l'histoire personnelle, il va s'attacher à montrer tout au long de son œuvre que le cycle de la vie est une recherche d'identité dans le changement, ce qui n'empêche pas une certaine continuité.

Dans son premier livre *Enfance et société*[5] publié en 1950, Erikson va notamment dégager les étapes qui mènent l'enfant à l'âge mûr. Ces étapes procèdent par l'acquisition successive, ou leur corollaire négatif, des diverses compétences. Toutes sont séparées par des moments critiques de choix entre progrès et régression. Sur un total de 8 étapes, 3 concernent l'âge adulte, dont 2 avant la vieillesse.

— *La première étape de l'âge adulte* est celle de l'« intimité » ou de son contraire l'« isolement ». Elle correspond à la capacité à établir avec l'autre, en particulier dans le cadre du couple, une relation qui ne soit pas aliénante, c'est-à-dire qui préserve le sentiment de rester un être libre.

— *La deuxième étape de l'âge adulte* est la générativité, ou son corollaire négatif la « stagnation ». Elle concerne la deuxième partie de l'âge adulte. Elle consiste à savoir donner de soi-même, à guider la génération montante et à produire une trace qui s'inscrira pour l'avenir. Le fait de devenir parent en représente un aspect, mais l'absence d'enfant ne l'empêche pas.

La générativité englobe à la fois la productivité et la créativité. Occuper son temps libre à entraîner des enfants dans le cadre du sport, organiser des groupes de travail ou de réflexion professionnelle pour aider les collègues plus jeunes à compléter leur formation, prendre des responsabilités dans des groupes culturels, syndicaux ou religieux : voilà d'autres exemples de générativité. Lorsqu'elle fait défaut, explique Erikson, s'installe « un sentiment général de stagnation, d'ennui et d'appauvrissement interpersonnel. On commence souvent à se complaire en soi-même comme si on était son propre enfant ou l'enfant unique d'un autre ». Avoir des enfants sans s'en occuper est aussi une façon d'être « stagnant ».

Les individus qui surmontent mal les tâches du milieu de l'âge adulte seront mal préparés à l'étape de la vieillesse qui demande beaucoup de capacités physiques et psychologiques d'adaptation. La générativité est donc la phase de l'acquisition de la maturité, avec laquelle se résout, dans l'optique favorable, la crise de l'âge mûr. Elle prépare la dernière période, celle de la vieillesse : si elle s'accomplit, ce sera l'« intégrité » ; sinon, le désespoir.

La notion de crise apparaît de façon constante dans l'approche d'Erikson. Chaque passage d'une étape à l'autre porte les germes d'une crise potentielle à cause du changement de perspective qu'il entraîne. Le modèle de développement qui nous est proposé par ce psychanalyste se construit même sur une succession de crises dont la résolution, dans les cas heureux, permet l'enrichissement et la progression. Dans l'éventualité inverse, c'est l'appauvrissement personnel, la détresse ou la maladie. L'accent est donc mis sur les transitions qui sont à la fois source de déséquilibre momentané et de forces créatrices.

LE MILIEU DE LA VIE

Dans le modèle d'Erikson, seulement trois étapes sur huit concernent l'âge adulte, comme s'il fallait accorder moins d'attention à la période dite de maturité qu'aux premières années de la vie. Or, s'il est vrai que les bases de la personnalité sont jetées depuis longtemps quand on accède à la maturité, le milieu de la vie est une période riche en transformations, obligeant l'individu à s'adapter à de nouvelles situations. L'augmentation de la longévité fait que cette période tend à s'étendre et à se modifier. Elle mérite d'autant plus que l'on s'y intéresse.

Du calcul mathématique au symbole existentiel

À moins de posséder des dons de divination ou de voyance, nous sommes, bien sûr, totalement incapables de connaître la date de notre mort et, par conséquent, de diviser le nombre des années par deux pour calculer le milieu. Le milieu de la vie ne correspond donc pas à une notion strictement mathématique. C'est bien plutôt une expression métaphorique et symbolique.

Le bon sens populaire, les études psychosociologiques et les œuvres littéraires situent entre 40 et 50 ans une phase de changements importants chez l'adulte humain — les Anglo-Saxons parlent de *midlife years* ou de *middle age*. Le premier best-seller américain sur ce thème, l'ouvrage de W. B. Pittkim, s'intitulait d'ailleurs *Life Begins at Forty* [6]. D'autres ont paru depuis. Ils titrent aussi bien *Quarante Ans* [7], *La Quarantaine* [8], « *L'homme de quarante ans* [9] », *La Crise de la quarantaine* [10], *À mi-vie, l'entrée en quarantaine* [11] que *La Cinquantaine au masculin* [12], *La Cinquantaine au féminin* [13] ou *La vie commence à cinquante ans* [14].

Et cela fait assez longtemps, semble-t-il, que la frontière se situe là : entre 40 et 50 ans. Simone de Beauvoir rappelle, par exemple, la compensation pécuniaire exigée chez les anciens Germains en cas de meurtre d'un individu libre [15]. Le droit wisigothique réclamait ainsi 150 sous d'or pour un garçon de 15 à 20 ans, 300 pour un homme de 20 à 50 ans, mais 200 entre 50 et 65 ans et 100 au-delà. Pour les femmes, la compensation était de 250 sous d'or entre 15 et 40 ans, puis de 200 entre 40 et 60 ans. Dans le droit burgonde, le prix était de 300 sous d'or entre 20 et 50 ans et seulement de 200 entre 50 et 65. Une différence de prix apparaît donc nettement, à la quarantaine pour la femme et à 50 ans pour l'homme, preuve matérielle et symbolique des changements qui sont censés affecter l'être humain au cours de cette tranche d'âge.

Plus près de nous, le psychologue Daniel Levinson, dont nous avons déjà parlé, a publié le résultat d'une étude portant sur quarante hommes entre 35 et 45 ans répartis en quatre groupes. On compte dix ouvriers, dix directeurs d'entreprise, dix romanciers et dix chercheurs en biologie. Tous sont américains de naissance, noirs et blancs, mais leurs origines sociales sont diverses, et leurs religions différentes. Tous ont été mariés une fois, et 80 % d'entre eux ont des enfants. D'après ses observations, Levinson a établi que la « transition de l'âge mûr » durait en moyenne cinq ans, entre 38 et 47 ans, et que l'âge moyen de la crise se situait autour de 45,5 ans.

Des métaphores à double sens

Si Carl Gustav Jung est le premier à avoir introduit en psychologie le concept sous la dénomination de « tournant de la vie » ou de « midi de la vie [16] », l'expression « milieu de la vie » puise ses sources littéraires dans *La Divine Comédie* de Dante. Jean de La Fontaine préfère, pour sa part, parler d'« entre deux âges [17] ». D'autres expressions font allusion à la « force de l'âge », au « bel âge », à la « fleur de l'âge », ou encore à l'« âge mûr ».

Toutes traduisent une certaine ambiguïté : de même que le fruit mûr, beau et délicieux, s'apprête, s'il n'est pas cueilli à temps, à se détériorer et que la force de l'âge implique un déclin à venir, le midi de la vie évoque pour l'optimiste la lumière, la chaleur et la brillance, mais annonce, dans une perspective pessimiste, le déclin du soleil vers le soir. Cocteau, en parlant du « milieu de l'âge », envisage la situation selon une position plus neutre : « Me voici maintenant au milieu de mon âge/Je me tiens à cheval sur ma belle maison/Des deux côtés je vois le même paysage/Mais il n'est pas vêtu de la même façon. »

Les statistiques, qui portent sur un nombre d'individus trop limité pour être vraiment significatives, rejoignent néanmoins le témoignage populaire. S'il est impossible de l'évaluer avec précision, le milieu de la vie semble pouvoir être situé, du moins en ce qui concerne notre XXe siècle et nos sociétés occidentales, entre 35 et 55 ans, ce qui, avouons-le, représente une fourchette tellement large qu'elle ne correspond plus à rien...

Mais, plus que l'âge statistique, le milieu de la vie semble se caractériser par une modification du rapport de l'être humain au temps. C'est un moment symbolique au croisement des temps linéaire et cyclique. Deux symboles représentent les temps de la vie : le fleuve et la roue[18]. Le fleuve ou le temps linéaire qui passe, irréversible, et qu'on ne rattrape pas ; la roue ou l'éternel retour, la réversibilité qui est le temps des cycles, aussi bien dans la vie d'un individu que dans la succession des générations. Le moment où l'individu mesure sa trajectoire, prend conscience de son inscription dans sa propre histoire mais aussi dans celle des générations antérieures et à venir correspond au milieu de la vie. Il découvre l'irréversibilité de son temps personnel linéaire, et sa représentation du futur change. Or notre approche du futur dépend étroitement de nos expériences passées. Proust écrit ainsi : « Mon passé ne projetait plus devant moi cette ombre de lumière que nous appelons notre avenir[19] », imageant poétiquement cette limite de notre projection dans l'avenir.

À partir de là, deux représentations temporelles sont possibles. L'une consiste à essayer de maîtriser le temps en planifiant de nouvelles activités, de nouveaux projets ; l'autre, à se retourner vers le passé en trouvant refuge dans des souvenirs de satisfaction et de bonheur ou bien en revenant sur des blessures non cicatrisées. Selon nos penchants personnels, notre passé, notre plus ou moins grande aptitude au bonheur, chacun de nous adoptera l'une ou l'autre de ces attitudes. Les uns vont considérer qu'il faut renoncer à ce qui reste à faire ; les autres, au contraire, qu'il ne faut plus perdre de temps.

Quitte ou double

Si vous interrogez vos amis ou votre entourage sur leur manière de voir cette période de la vie, vous obtiendrez peut-être plus de réponses inquiètes ou résignées que d'élans enthousiastes. Les plus pessimistes retiendront surtout l'apparition des premiers signes de leur vieillissement, physique ou intellectuel : « Je perds la mémoire », ou bien ils les grossiront sous forme de boutades : « Je me prépare à la retraite. » Les enthousiastes, eux, vous diront : « Je ne me suis jamais senti aussi bien », « c'est maintenant que j'ai l'impression de vivre », « je me sens enfin moi-même », « physiquement, je suis moins rapide, mais je me sens en pleine maturité musculaire »... Certains dont les enfants ont grandi avoueront même retrouver une sensation de plus grande liberté d'action et d'épanouissement personnel. Entre les deux, il y aura ceux qui, tel Cocteau, profitent du moment présent, sans pour autant éviter une interrogation sur ce qu'ils perçoivent comme une période de changement. Ceux qui fêtent ostensiblement leurs 40 ou 50 ans ne sont d'ailleurs pas forcément ceux qui passent le cap dans la béatitude. Il faut parfois voir dans leur comportement une façon de résister à leur triste sort de simples mortels ou de défier le temps.

Ceux qui envisagent péjorativement le milieu de la vie s'attardent, en particulier, sur deux aspects principaux : l'approche de la mort et le sentiment d'inutilité existentielle. Jung a bien insisté sur l'approche de la mort : « C'est à l'heure mystérieuse du midi de la vie que la parabole s'inverse et que se produit la naissance de la mort : dans sa deuxième moitié, la vie n'est pas ascension, déploiement, multiplication, débordement ; elle est mort car sans but, c'est la fin [20]. » De la même façon, Eliott Jaques, psychanalyste anglais, insiste dans « Mort et crise du milieu de la vie [21] », sur « l'entrée sur la scène psychologique, de la réalité et de l'inévitabilité de notre propre mort personnelle à venir ». Elle constitue même, selon lui, « le point crucial et central de cette phase du milieu de la vie ». Quand ce n'est pas la mort qui devient perturbante, c'est du moins l'anticipation de la vieillesse. Voici comment Woody Allen parle de ses 40 ans : « Vous savez, ces derniers temps, des idées bizarres me passent par la tête, c'est parce que je viens d'avoir quarante ans, et je crois que je traverse une crise, enfin quelque chose comme ça, j'sais pas. Je, euh, je, ça ne m'ennuie pas de vieillir. Je ne suis pas du genre à m'accrocher, non, bien que je commence à perdre un peu mes cheveux sur le haut, mais c'est tout ce que l'on peut dire. Je, euh, je crois d'ailleurs que je vais embellir en vieillissant, je crois que je vais devenir, vous savez, le type même du chauve viril, le contraire du, euh, séducteur distingué et grisonnant, à moins que ça ne soit ni l'un ni l'autre. À moins que je ne devienne l'un de ces vieux qui hantent les cafés, un sac à provisions à la main et qui, la bave à la bouche, professent le socialisme à grands cris [22]. »

Tout comme l'adolescent éprouve le caractère éphémère de l'existence et s'interroge sur le mode « à quoi-bonniste » sur son but dans la vie, l'adulte à mi-vie en vient souvent, lui aussi, à se poser la question du sens de l'existence. C'est fréquemment à la faveur d'un événement : une maladie, le départ d'un enfant hors du foyer, un décès. Il est vrai qu'au midi de la vie nous prenons conscience, bon gré mal gré, de nos limites et faisons l'expérience de la frustration existentielle. Cela peut aller jusqu'à un sentiment de vide.

La question du sens que nous avons donné à notre vie, de notre identité personnelle au sein de notre lignée familiale et aux yeux de la société, le sentiment de ne pas avoir orienté notre vie comme nous l'aurions souhaité favorisent sans doute cette interrogation, mais le sentiment de réussite ne l'exclut pas non plus. Un pas encore, et c'est le doute sur le sens de l'existence en général dont se font écho les paroles de l'Ecclésiaste : « Vanité des vanités, tout est vanité... Il n'y a rien de nouveau sous le soleil... Alors je réfléchis à toutes les œuvres de mes mains et à toute la peine que j'avais prise, eh bien, tout est vanité et poursuite de vent, il n'y a pas de profit sous le soleil[23]. »

L'apogée du désespoir existentiel se retrouve évidemment dans la théorie du non-sens de l'existence de Schopenhauer. Simone de Beauvoir a rappelé de façon lumineuse la conception, selon ce philosophe existentialiste, de la seconde moitié de la vie : « Les forces intellectuelles sont à leur apogée à 35 ans. Cependant on vit dans l'illusion et l'erreur. L'instinct sexuel entretient dans l'homme une bénigne démence. À partir de 40 ans, on est mélancolique parce que, sans avoir renoncé aux passions et aux ambitions, on commence à être désabusé, et on voit la mort au bout de sa route alors qu'auparavant on l'ignorait[24]. » Allant dans le même sens, certains catastrophistes conçoivent toute activité frénétique comme une échappatoire au vide existentiel. Ceux-là diront que les mondains qui reçoivent et courent les *happenings* évitent ainsi de rester seuls confrontés à la pauvreté de leur vie intérieure, de même que les accros du bistouri esthétique et que les don juans tardifs. La fureur et la volonté de travail ne serviraient souvent qu'à dissimuler une vie déshabitée : « Moins l'homme sait quel but assigner sa vie, plus il accélère la cadence de sa vie[25]. »

À l'opposé, on trouve celles et ceux qui traversent cette période de vie avec un sentiment de plénitude. « C'est l'âge de la sérénité, on prend ce qu'il y a de bon, on en profite, surtout si les enfants progressent et sont en bonne santé », me dit une patiente pourtant atteinte d'une psychose maniaco-dépressive. Ceux qui font partie de la catégorie des optimistes envisagent le « milieu » et la « seconde partie » de la vie avec bonheur. Ils adhèrent à la phrase de Victor Hugo pour qui « l'on voit de la flamme aux yeux des jeunes gens, mais dans l'œil du vieillard on voit de la lumière ». Ils soulignent que *La Légende des siècles* a été écrite à 75 ans, que Verdi a créé *Otello* à 74 ans ou que Darwin a rédigé sa théorie de l'évolution à 70 ans. Ils considèrent que le midi de la vie et sa crise éventuelle agissent comme un catalyseur pour transformer la flamme en lumière, la beauté en grandeur ou l'ascension en envolée de la seconde partie de l'âge adulte. Ils partagent l'avis de Bernard Pivot selon lequel c'est l'« âge idéal pour un mélange harmonieux des souvenirs et des projets, des contraintes et des espérances, de l'activité et de l'accomplissement[26] ». Ou bien ils se reconnaissent dans cette phrase sans ambiguïté : « Le seul temps où l'on vit vraiment, c'est entre 30 et 50 ans. Les jeunes sont esclaves de leurs rêves, les vieux de leurs regrets. Seules les personnes d'âge mûr sont en possession de leurs cinq sens et de tous leurs esprits[27]. » Christiane Singer proclame très clairement son vécu de plénitude : « Arrachée au dilemme contemporain qui la fait osciller entre une grotesque mascarade de juvénilité et l'angoisse mortifiante de la sénilité, la maturité devient le lieu privilégié des plénitudes [...]. J'ai quarante ans, et je crois cet âge bien choisi. J'ai derrière moi un grand chemin parcouru et devant moi la route est longue encore [...]. Jamais je n'ai été plus consciemment, plus férocement vivante, plus claire d'esprit, plus hardie de corps[28]. »

Parmi les plus optimistes, certains vont jusqu'à parler de renaissance, et même de vraie naissance. Paroles d'un de mes patients. Daniel, 41 ans, est maintenant sorti d'une crise personnelle profonde, qui a nécessité deux hospitalisations en presque trois ans pour des épisodes dépressifs douloureux. Il a résolu en particulier un conflit qui l'opposait à son père depuis longtemps. Sans rompre complètement, il a pu lui dire ce qu'il n'avait jamais osé jusque-là, et réussi à maintenir une distance « supportable » : « J'ai l'impression de recommencer ma vie. Rien n'a changé dans mon quotidien, c'est moi qui ne suis plus tout à fait le même. Je touche du bois, je peux me tromper, mais c'est maintenant que je vais vivre la vie qui me convient. Je sais ce qui est bon pour moi. »

Plus concrètement, ceux qui voient dans le midi de la vie l'une des meilleures périodes de la vie citeront les catégories socio-professionnelles où l'on s'épanouit vraiment à partir de 40 ans. Ils vous donneront l'exemple de la politique, des milieux des affaires, des universitaires : occupés à entreprendre, à faire campagne ou à asseoir leur notoriété, ils naissent au pouvoir et trouvent là l'occasion d'un nouvel épanouissement personnel. Ou bien ils démontreront que les femmes, lorsque la maison commence à se vider, peuvent enfin se consacrer à elles-mêmes, à reprendre des études tardives ou à s'investir dans des activités pleinement choisies et nouvelles.

Le temps des nouvelles perspectives

Optimisme utopique ou bien raisonnable ? Pessimisme exagéré ou bien réaliste ? Concernant le milieu de la vie, le débat reste ouvert. Pour nous aider à y voir plus clair, Robert N. Butler[29], qui a très largement contribué à développer le concept de « crise du milieu de la vie » aux États-Unis, a rassemblé un certain nombre d'étapes caractéristiques et indiscutables de cette période de la vie. Les voici :

— le vieillissement et la transformation dans les fonctions physiques dès l'âge adulte moyen ;

— la récapitulation de ce qui a été réalisé et la fixation des objectifs pour l'avenir ;

— la réaffirmation ou, au contraire, la remise en question des engagements envers la famille, le travail et le mariage ;

— le rapport avec la nouvelle génération et la relation avec ses enfants ;

— l'exercice d'un pouvoir avec responsabilité ;

— l'attitude face à la maladie et au vieillissement de ses parents ;
— la réalisation de toutes les tâches précitées sans perdre sa capacité d'éprouver du plaisir et de s'engager dans une activité.

Butler propose même de mettre en balance les perspectives optimistes (traits positifs) et pessimistes (traits négatifs) du milieu de vie. Voici le tableau qu'il obtient :

Items	Traits positifs	Traits négatifs
Le meilleur de la vie	Exercice responsable du pouvoir, maturité, productivité	Conception du « gagnant » opposé au « perdant », compétitivité
Que faire du temps qu'il reste ?	Possibilités, alternatives, organisation des engagements, nouvelle direction	Isolement, fatalisme
Fidélité et engagements	Engagement vis-à-vis de soi, des autres, de la société, maturité filiale	Hypocrisie, déception par rapport à soi-même
Croissance-Mort (grandir, c'est mourir)	Naturel à l'égard du corps, temps	Efforts pathétiques et frénétiques (par exemple pour rester jeune), hostilité et envie à l'égard de la jeunesse et de ses enfants, résignation et passivité
Communication et socialisation	Plus grande finesse intellectuelle, continuité, réseau social important, stabilité des relations, des lieux et des idées	Répétition, ennui, impatience, isolement, conservatisme, confusion, rigidité

Traits caractéristiques du milieu de vie
(D'après R. N. Butler, H. I. Kaplan, B. J. Sadock, 1998.)

À VOUS MAINTENANT

Face au midi de la vie, faites-vous partie de ceux qui se laissent tenter par la résignation ? Ou bien estimez-vous qu'il s'agit de la « décennie de la dernière chance » ?

— Testez votre quotient d'optimisme au milieu de la vie (OMV) :

Répondez à chaque question par A, B ou C.

1. Choisissez une image pour le milieu de la vie :
— l'été (A)
— l'automne (B)
— l'hiver (C)

2. Pour vous, 40-50 ans, c'est :
— l'âge du pouvoir (A)
— la mise au placard (C)
— l'heure de vérité (B)

3. Cette période est synonyme de :
— plénitude (A)
— inquiétude (C)
— âge de raison (B)

4. Le « milieu de la vie », c'est :
— un mauvais moment à passer (B)
— le meilleur moment de la vie (A)
— le début de la fin (C)

5. Professionnellement, vous vous dites :
— j'arrête de m'épuiser au travail et je m'occupe un peu de moi (B)
— j'espère aller encore plus haut (A)
— je vais avoir du mal à rester au top (C)

6. Votre forme physique :
— vous l'entretenez avec soin (B)
— vous vous lancez un nouveau défi (A)
— vous vous laissez un peu aller (C)

7. Votre âge :
— vous l'assumez complètement (A)
— vous vous enlevez systématiquement cinq ans (B)
— vous éludez la question (C)

8. Votre enfant part faire des études dans une autre ville :
— vous vous réjouissez de le voir prendre confiance en lui, mais vous avez peur qu'il vous manque (B)
— vous regardez avec nostalgie ses photos de maternelle (C)
— vous vous réjouissez d'avoir plus de temps pour vous (A)

9. Pour votre anniversaire, vous organisez :
— une soirée calme avec des ami(e)s proches (A)
— une grande fête avec beaucoup d'invités (B)
— vous vous couchez dès 20 h en essayant de ne pas y penser (C)

10. Vous pensez le plus souvent :
— au passé (C)
— au présent (B)
— à l'avenir (A)

11. Physiquement :
— vous ne vous êtes jamais senti(e) aussi bien (A)

— vous avez peur d'être malade (C)
— vous allez rattraper le temps perdu (B)

12. Les rides :
— ça a du charme (A)
— ça vous fait horreur (C)
— ça se soigne (B)

Un premier résultat : si vous avez joué le jeu et répondu à ce test, vous êtes encore jeune dans votre tête : bravo !

Si vous obtenez :

une majorité de A : vous abordez cette période de vie de façon optimiste ; vous la concevez comme un moment d'épanouissement et de nouveaux projets ;

une majorité de B : vous avez une conscience aiguë des limites de la vie, mais au moins dans certains domaines, vous continuez à vous projeter dans l'avenir ou bien vous essayez de défier le temps ;

une majorité de C : vous êtes sombre ou résigné(e) ; vous considérez que la vie est derrière vous et que les projets sont vains.

Chapitre II

Crise ? Vous avez dit crise...

En général, la notion de crise est associée à l'idée de boule-versement dramatique. Cela vaut pour les crises économiques, les crises ministérielles, les crises de nerfs ou de larmes... De même, lorsqu'on parle de la crise du milieu de la vie : on pense d'emblée au démon de midi et au cliché qui s'y rattache habi-tuellement, celui du quadragénaire quittant femme et enfants pour une nouvelle compagne avec laquelle il recommencera peut-être sa vie... Rien de cela n'est faux, à condition toutefois d'ajouter qu'une crise n'implique pas forcément une cata-strophe et qu'elle évolue toujours vers une issue parfois salutaire. Meilleur ou pire, l'avenir sera, à coup sûr, différent. C'est en cela, justement, que le milieu de la vie constitue une étape critique.

POUR LE MEILLEUR OU POUR LE PIRE

Étymologiquement, le mot crise vient du grec *krisis*, qui comporte une connotation juridique et signifie séparation, jugement, décision. Il évoque l'idée de rupture succédant à la continuité. Reprenant cette idée, les définitions du dictionnaire évoquent le « paroxysme d'un état psychologique ou d'un sentiment », une « période difficile où l'on est amené à résoudre de nombreuses contradictions » ou encore un « moment difficile et généralement décisif dans l'évolution d'une société ou d'une institution ». Comme on le voit, une crise comprend intrinsèquement un double versant, l'un régressif et destructeur, porteur de forces mortifères, et l'autre progressif, source d'évolution et susceptible d'aboutir à un nouvel état ou une nouvelle situation. La crise du milieu de vie ne fait pas exception à la règle.

Une prise de risque parfois salutaire

Quelle que soit son origine ou sa nature, une crise est un moment de risque en même temps qu'une étape à franchir. C'est une épreuve à traverser dont on sort rarement indemne, presque toujours différent, qui peut anéantir mais aussi rendre plus fort.

De façon significative, dans le langage médical, le terme de crise désigne le moment d'une maladie caractérisé par un changement subit et généralement décisif, en bien ou en mal — on parle de crise favorable, salutaire, funeste ou encore fatale. On peut plus précisément distinguer la « crise-pathologie » de la « crise-guérison ». La première correspond à l'exacerbation d'une maladie sous-jacente ou à sa première manifestation : la crise de goutte, par exemple, traduit un taux exagéré dans le sang d'acide urique et signifie qu'il faudra à l'avenir suivre un régime alimentaire pauvre en cet acide et éventuellement prendre un traitement pour diminuer ce taux. La seconde signe la victoire des mécanismes de défense de l'organisme et annonce la guérison : certaines infections virales se terminent ainsi par un accès de fièvre et de sueurs.

On retrouve dans la crise à mi-vie cette même dualité puisqu'elle peut être néfaste par certains côtés et bénéfique par d'autres. Elle constitue un moment de transition qui rend vulnérable et met en danger, en même temps qu'elle donne l'opportunité de passer à autre chose [1].

À 48 ans, Anne a pris un risque et saisi une opportunité. Parisienne, divorcée, cadre supérieur dans une multinationale, épuisée par la cadence d'un emploi du temps surchargé, elle a choisi, après bien des errances intérieures, de partir avec sa fille adolescente s'installer dans une grande ville de province pour prendre un poste de consultante, impliquant une sécurité financière moindre à la clé et l'éloignement difficile d'un entourage amical précieux. Deux ans plus tard, tout n'est pas rose, mais en aucun cas elle ne regrette son choix : « C'était quitte ou double... Ce n'est pas encore le double, mais c'est déjà tellement mieux ! »

Dans le domaine psychopathologique, le terme de crise se prête également à une double fonction, celle de crise-maladie et celle de crise-réaction. Certaines crises viennent, en effet, révéler ou émailler l'évolution d'une maladie psychiatrique. C'est, par exemple, le cas de la psychose maniaco-dépressive ou « trouble bipolaire de l'humeur » qui se caractérise par la survenue à intervalles variables de dépressions généralement sévères ou d'états euphoriques et exaltés d'agitation à la fois physique et psychique. Mais d'autres crises ne relèvent pas d'une maladie : elles traduisent une réaction à des obstacles à franchir, à des changements extérieurs ou bien à un conflit intérieur : notre homéostasie intérieure est rompue, et la crise que nous traversons traduit alors une réaction d'adaptation. Un conflit relationnel ou une surcharge de travail peuvent ainsi pendant une période entraîner des crises d'angoisse, des insomnies, des troubles du caractère ou du comportement.

Cette idée de réaction à un changement introduit une distinction importante qui va nous permettre de mieux situer la place de ce qu'on nomme aussi la crise de la quarantaine ou de la cinquantaine.

Face à la crise : l'impact de l'entourage

Les mécanismes de défense que chacun de nous met en œuvre pour se protéger dans des situations psychologiques difficiles sont éminemment variables. Certains ont besoin de parler, d'extérioriser leurs émotions. D'autres, au contraire, se renferment, par pudeur ou par méfiance à l'égard de l'autre. Ceux-là ont souvent un réseau amical assez restreint, ils sont assez seuls ou se cantonnent dans des relations superficielles. Ils se confient peu, pensent que les autres n'ont pas à connaître leurs affaires personnelles ou encore estiment que parler ne sert à rien et que personne ne peut les aider en cas de difficulté.

Face à une personne en crise, l'interlocuteur peut avoir un impact apaisant ou, au contraire, aggravant. Certains savent écouter, interroger, suggérer des idées qui permettront à la personne désemparée de trouver des solutions. D'autres sont spécialistes pour asséner des formules définitives et blessantes : « Tu te mets toujours dans des situations compliquées », « tu te laisses abattre à la moindre difficulté, il faut que tu réagisses », « tu ne sais pas ce que tu veux », etc. Loin d'être utiles, de telles phrases risquent d'amener le malheureux à prendre des décisions inadaptées, de le renforcer dans sa mauvaise estime de lui-même ou de déclencher sa fureur, quand ce n'est pas les trois à la fois !

36

Rupture d'équilibre et événements de la vie

À première vue, la crise du milieu de la vie ne semble pas nécessiter la rencontre avec un événement extérieur particulier. Elle surgit en principe seule, dénuée de tout facteur déclenchant, comme autogénérée, et correspond à une période de remise en question, éventuellement une interrogation sur le sens de l'existence s'accompagnant du rejet d'un certain nombre de valeurs. Pour autant, comme le rappellent très justement Daniel Marcelli et Alain Braconnier, spécialistes de la psychopathologie de l'adolescence, une crise est toujours un « moment temporaire de déséquilibre et de substitutions rapides remettant en question l'équilibre normal ou pathologique du sujet. [Elle] ne survient pas sans raison ; elle comporte un préalable, malgré l'apparence de surprise : dans la sérénité de l'après-coup, nous feignons de croire que surgissant d'une seule pièce, elle nous a surpris... ce n'est qu'irruption faite qu'elle se profile dans une histoire passée et que les souvenirs reviennent, de ses causes, de ses origines et déjà, de ses solutions[2] ».

Comme pour la crise d'adolescence, l'importance du réveil du passé contribue à la dimension existentielle de la crise du milieu de la vie. Le bouleversement intérieur, le doute et la remise en question de choix antérieurs personnels sont au rendez-vous. Toutefois, alors que l'adolescence n'a nul besoin de facteur extérieur déclenchant pour survenir, la CMV paraît, dans bien des cas, suscitée par un événement de l'ordre de la perte réelle et de la séparation effective.

Statistiquement, la mi-vie est, en effet, une période particulièrement riche en ruptures, qu'il s'agisse de deuils, de divorces, de chômage ou de maladie, et ces événements ont toujours un effet psychologique déstabilisant. Selon les situations, il faut se séparer d'un être cher, d'un entourage, rompre avec certaines habitudes, ou bien renoncer à exercer des activités, un pouvoir, des fonctions. L'homme ou la femme qui perd son emploi perd en même temps son statut social, ses collègues de travail, des habitudes quotidiennes, une partie de son pouvoir d'achat et enfin une certaine image de lui-même. Celui qui est malade doit renoncer, pendant la durée de la maladie et parfois au-delà, à certaines de ses activités, éventuellement à son travail, presque toujours à une partie de son indépendance. Ces événements de vie, les *life events* des Anglo-Saxons, viennent perturber pour une durée variable un équilibre psychologique dont la stabilisation préalable conditionne l'impact de l'événement. Et plus cet équilibre est fragile, plus l'événement risque d'être perturbateur, même s'il paraît minime vu de l'extérieur.

Attention : un événement heureux peut aussi être traumatisant...

Plusieurs études scientifiques ont établi une échelle des événements de vie en fonction de leur effet traumatique sur le plan psychologique[3]. On trouve, évidemment, en tête de liste, les deuils qui ont un très fort pouvoir traumatique. Figurent également de façon attendue des facteurs de changement significatifs, tels que les difficultés professionnelles, les situations de conflit relationnel ou les déménagements. Plus surprenante, en revanche, est la présence du mariage, même si sa cotation en tant qu'événement de vie est peu élevée. Les unions forcées ou « arrangées » faisant figure d'exception de nos jours, du moins dans les sociétés occidentales, le mariage est en principe un événement choisi et heureux. Pourtant, par certains côtés, il est aussi synonyme de séparation : en se mariant, on se sépare un peu de soi-même, de sa famille, on quitte une certaine liberté. Il n'est d'ailleurs pas rare de voir des couples vivant ensemble depuis plusieurs années se séparer après avoir franchi le « cap » du mariage. De manière plus générale, toute rencontre au sens fort du terme signifie l'abandon partiel, par un jeu de miroirs réciproques, de soi-même. En ce sens, elle devient source de déséquilibre relatif. D'autres événements heureux peuvent être source de crise. Parmi eux, certaines naissances et en particulier celle du premier enfant. Sans même parler du baby-blues ou des dépressions qui peuvent survenir chez les jeunes mamans, la naissance d'un enfant soumet le couple à une petite épreuve, qui réserve parfois quelques surprises. Beaucoup de parents ne mesurent pas les dépenses en énergie et en temps que ne manque pas de solliciter leur nouveau-né et se retrouvent très déstabilisés par les perturbations de leur routine antérieure. Tandis que les pères surestiment les capacités de maternage de leur conjointe, les mères sous-estiment celles de leur compagnon qui, peu sollicité, se met en retrait. Chacun éprouve, en outre, des difficultés à concilier son image de parent avec celle d'amant.

Au fond, tout changement *a priori* favorable peut se retourner et constituer un bouleversement critique. Même une promotion professionnelle...

La sphère professionnelle, qui, de nos jours, occupe une place majeure dans la vie adulte, se révèle particulièrement riche en facteurs de crise : licenciements, conflits de pouvoir et rivalités amènent bien des personnes à consulter pour des symptômes anxieux ou dépressifs ou pour des troubles psychosomatiques. Le domaine affectif, lui aussi, apporte son lot d'épreuves à surmonter : qu'il s'agisse de divorce, de séparation, de la découverte de l'infidélité de l'autre ou encore de mésentente conjugale ou familiale. On comprend que tous ces événements, dont le milieu de la vie n'est pas avare, provoquent des doutes et, dans les cas les plus extrêmes, de vraies révolutions personnelles.

De la régression à la reconstruction

De même que l'adolescent rompt avec son enfance et cherche par des chemins parfois tourmentés sa personnalité, l'adulte en crise au midi de la vie rompt avec une partie au moins de son passé. C'est un morceau de son existence qu'il rejette et détruit, éventuellement pour changer de vie, dans une tentative de devenir un autre. Au minimum, c'est un pan de ses convictions et de ses choix qui vole en éclats.

Le versant régressif de la CMV, celui du risque et du danger, signifie la destruction d'un état antérieur qui ne peut plus durer. Tout commence par une sensation confuse de doute, au début épisodique, puis de plus en plus présente, infiltrant la vie de tous les jours : des habitudes, des idées, des choix perdent de leur sens ou parfois deviennent insupportables. Une impression de malaise s'installe durablement, avec chez la personne en crise le sentiment de mal vivre et de ne plus être en accord avec soi-même.

Les choses peuvent ainsi durer des semaines, des mois, sans qu'une ouverture ne se présente. La sensation de stagner et d'être enfermé persiste de façon prédominante : il devient impossible de se projeter dans un avenir qui ne soit pas clos et sans nouveauté. Mais la situation peut aussi s'aggraver, et voilà ce même adulte tenté par la régression ou la rupture.

— **La régression** n'est pas forcément une notion péjorative. Dans un travail passionnant intitulé *Les Voies de la régression*[4], le psychiatre britannique Michael Balint distingue la « régression bénigne » (ou régresser pour progresser) de la « régression maligne » (ou régresser pour régresser), plus préoccupante car plus destructrice. De fait, il y a différentes façons de régresser. On peut ne plus avancer, ne plus faire de projet, ne plus s'investir. On peut aussi se réfugier dans l'alcoolisme, mondain ou solitaire, dans les paradis artificiels. Les exemples de stars du cinéma ou du show-business qui ont interrompu, momentanément ou définitivement, leur carrière de cette manière ne manquent pas. Citons parmi d'autres le chanteur Renaud qui revient sur scène à 50 ans, après plusieurs années d'absence : « J'avais peur. Il y a cinq ans, j'ai écrit quatre chansons. Après, plus rien. Le trou noir. Trou que j'ai comblé par une drogue : l'alcool. Une drogue dure, contrairement à ce qu'on a l'habitude de dire. J'étais victime du mal du siècle, la dépression [5]. » La régression peut durer quelques mois, quelques années, parfois s'installer définitivement comme chez certains clochards.

— *La destruction de soi-même* est à comprendre au sens propre, par le biais d'une tentative de suicide, ou bien au sens figuré. On peut, en effet, rompre avec soi-même en changeant son échelle de valeurs, en reniant certains choix du passé, en rejetant sa famille d'origine. Cet aspect de rupture, qui est au cœur même de la CMV, concerne parfois aussi le monde extérieur, c'est-à-dire son conjoint, son métier, ses amis, ses enfants. « Ce n'est plus la même personne », dit l'entourage stupéfait qui ne reconnaît plus celui ou celle qu'ils croyaient connaître. Enfin, une autre forme de rupture s'effectue par l'entrée dans la maladie, comme nous le verrons plus loin.

Toutefois, le plus souvent, passé une période plus ou moins longue de doute, de marasme ou de dérive, on se met un jour à prendre des décisions, à organiser des changements, des réaménagements dans sa manière de vivre. Et l'on devient, ou redevient, acteur de sa propre vie. On recommence à se projeter par anticipation dans l'avenir [6]. C'est par cette faculté que l'homme, même s'il est tributaire de son passé, peut se construire activement lui-même. Sartre définissait d'ailleurs l'homme comme « projet qui décide de lui-même [7] ».

Cette capacité d'anticipation permet à un individu, tout particulièrement quand il commence à sortir d'une situation de crise, de ne plus subir les événements en essayant de s'y adapter : il décide davantage de son existence et trouve une nouvelle voie, après avoir écarté de son chemin ce qu'il ne considère plus comme ses choix personnels. Étymologiquement, il y a d'ailleurs une parenté entre crise et crime, et, par certains aspects, on peut voir dans la CMV le meurtre du personnage que l'on joue au profit d'une recherche plus authentique de sa vraie personne. L'acteur Jean-Louis Barrault déclarait ainsi après les événements de mai 1968 : « J'ai dit Barrault est mort... Il reste un homme vivant ; nous sommes tous doubles, composés d'un personnage social et d'un être profond[8]. » Dans le même ordre d'idées, c'est une image de soi-même que l'individu en crise cherche à éliminer parce qu'il ne s'y reconnaît plus.

À LA RECHERCHE DE SOI

Globalement, la crise du milieu de vie s'organise autour d'un fil directeur qui correspond à la quête, consciente ou inconsciente, ou à l'affirmation de son identité personnelle. On se met à rechercher ce qu'il y a de plus authentique en soi-même : « Qui suis-je profondément ? » se demande-t-on. « Suis-je en accord avec l'image que je donne de moi à mon entourage et que celui-ci me renvoie ? » Ces questions, chacun de nous se les pose à l'âge adulte avec plus ou moins de clarté, même ceux qui éprouvent un sentiment de réussite. Avec la crise du milieu de la vie, elles vont toutefois prendre une acuité extraordinaire et occuper, pour un moment, le devant de la scène.

Qui suis-je ?

Nous sommes d'abord ce que nous avons construit et qui nous confère une identité sociale : notre statut professionnel, si nous en avons un, notre situation familiale, célibataire ou vivant en couple, parent ou sans enfant. Ces étiquettes appartiennent au registre de l'état civil et, d'une certaine façon, relèvent du « paraître ». Elles révèlent en partie notre adhésion à un « modèle » familial et social. Ainsi certaines femmes tiennent-elles à avoir trois enfants, et non deux, « parce que ça fait famille ».

Notre *curriculum vitæ* comporte ce type de renseignements sur ce que nous avons réalisé : cursus scolaire, expériences professionnelles, langues apprises et parlées couramment, etc. Seulement voilà : nous sommes bien plus que ce que nous avons accompli ou acquis et, parallèlement à cette identité extérieure, nous possédons aussi une identité intérieure qui renvoie à notre personnalité mais qui englobe également des aspirations, des talents non exploités, des passions, des facettes différentes qui font notre complexité autant que notre richesse.

Dans un ouvrage intitulé *Le Triple Moi*[9], Gisa Jaoui développe les théories de l'« analyse transactionnelle » qui proposent une distinction originale entre trois aspects de nous-mêmes cohabitant avec plus ou moins d'équilibre : un moi-parent, un moi-enfant et un moi-adulte. De fait, la construction de notre identité personnelle dépend largement de notre moi-enfant, c'est-à-dire de notre passé, lequel conditionne notre anticipation de l'avenir et de l'environnement. Outre les facteurs d'hérédité, notre éducation et les relations avec nos parents ont influencé notre trajectoire. Cela est particulièrement vrai pour nos choix : sont-ils réellement les nôtres, ou bien le reflet des désirs de nos parents, de la famille, de nos professeurs, de nos idoles de jeunesse ?

Le miroir des autres

C'est en s'identifiant à des modèles, qui correspondaient à notre idéal de jeunesse, et en en rejetant d'autres que nous avons progressivement trouvé notre identité. Néanmoins, une fois passée la crise quasi obligatoire de l'adolescence, notre identité n'est pas pour autant fixée définitivement. Nos relations avec les autres continuent de jouer un rôle capital. Au sein des groupes dont nous faisons partie — groupes sociaux, amicaux, culturels, sportifs ou professionnels —, le regard d'autrui tient lieu de miroir : il nous renvoie une image de nous-mêmes, flatteuse ou négative selon les cas, proche ou bien très éloignée de ce que nous croyons être intérieurement.

Il se peut même que nous nous forgions une « réputation » aux antipodes de ce que nous sommes vraiment. Quelqu'un qui passe pour très autoritaire dans un contexte professionnel se révèle souple et drôle en famille et auprès de ses amis. Tel autre qui est considéré comme un joyeux drille par ses collègues de travail se sent, comme beaucoup de clowns, profondément triste et angoissé. On comprend qu'à force cet écart puisse provoquer des déchirements. Ainsi, Claude, 40 ans, qui se cache derrière une relative obésité, est vue par ses collègues de bureau comme une fille gaie, toujours dynamique et qui a son franc-parler : « Ce n'est pas du tout ce que je ressens, m'explique-t-elle pourtant. Depuis plusieurs mois, j'ai l'impression d'avoir toujours porté un masque au travail et c'était déjà pareil à l'école. Au fond de moi, je suis quelqu'un de très angoissé, je ne prends pas de décision importante me concernant. À 40 ans, je me laisse encore diriger par ma mère. Les autres se trompent sur mon compte, et moi, j'en ai marre de porter ce masque. J'en viens à ne même plus savoir si c'est un masque. Je me demande qui je suis vraiment. » Ce décalage entre ce que nous ressentons profondément et l'image que nous renvoient les autres est un aspect essentiel de la crise du milieu de la vie qui est fondamentalement une crise identitaire.

À l'âge de la maturité, certains prennent même conscience avec une acuité croissante qu'ils ne supportent plus leur image au sein de la famille, auprès de leurs parents et, pour la première fois de leur vie, ils se rebellent. Ce mouvement de révolte, souvent long et coûteux — la famille ne comprend pas ce revirement tardif —, est néanmoins le prix à payer pour devenir vraiment soi-même. « J'ai toujours été la bonne poire, prête à écouter mes parents qui se disputaient entre eux ou avec mes frères », me raconte Nathalie, 39 ans, qui manifeste depuis un peu plus d'un an des accès de rejet contre tout ce que les siens attendent d'elle. Cadre supérieur, mère d'une famille nombreuse, Nathalie donne une apparence affirmée, mais au fond d'elle-même se sent sans repères. « Avant, je ne me rendais pas compte de l'intrusion de ma famille dans ma propre vie. On me dérangeait chez moi, au travail, pour régler les problèmes des uns et des autres. Depuis que j'ai commencé à dire stop, on me culpabilise. Tout juste si on ne me traite pas de malade... J'ai encore parfois du mal à résister, mais il faudra qu'ils s'habituent à l'idée que je ne suis pas le bon petit soldat qu'ils voyaient en moi. » À mi-vie, les femmes et les hommes qui viennent ainsi chercher un soutien chez un psychothérapeute pour qu'il les aide à traverser ces périodes de rébellion intérieure sont légion. Heureusement, dans bien des cas, leur démarche débouche sur une meilleure connaissance d'eux-mêmes.

Un besoin de distance

Les interrogations profondes qui accompagnent la crise du milieu de la vie entraînent un mouvement de distanciation vis-à-vis des autres mais aussi de soi-même. Elles mobilisent cette capacité que nous possédons de nous regarder avec un œil extérieur et de nous juger, d'analyser nos réactions intérieures et de les remettre en cause. Il ne s'agit pas d'un regard sur soi narcissique et égocentrique, mais d'une vision critique qui permet de se resituer plus clairement dans son environnement social et affectif comme dans sa propre histoire. Elle favorise le recul par rapport à la situation immédiate et aux émotions, parfois trop fortes, avec lesquelles on la vit.

Dans la quête identitaire du milieu de la vie, cette distance à soi est inévitable en même temps que nécessaire. Elle s'amorce parfois spontanément, par exemple à travers des attitudes de détachement apparent à l'égard de sa propre vie. « J'ai besoin de m'isoler », me raconte ainsi Jean-Jacques. Cet homme de 43 ans est venu consulter à la demande de son entourage familial qui le trouvait déprimé. Peu convaincu au départ — « Je ne vois pas trop ce que vous pouvez faire pour moi », m'explique-t-il en guise de préambule —, il reviendra néanmoins après s'être aperçu que nos entretiens l'aident finalement à y voir plus clair dans ce qu'il nomme lui-même sa crise du milieu de la vie. « Quand je suis à la maison, je m'enferme souvent dans mon bureau, je me mets à mon ordinateur ou bien je ne fais rien, tient-il à préciser lors d'une consultation ultérieure. J'ai besoin d'être seul et de réfléchir. Ma femme me le reproche, elle me dit que les enfants s'en plaignent. En fait, j'aurais besoin de partir seul... Quelques jours... Enfin, je ne sais pas combien de temps exactement. »

Comme Jean-Jacques, certains, parvenus à mi-vie, expriment ce besoin de distance vis-à-vis d'eux-mêmes dans une démarche psychothérapique. Pour eux, le regard extérieur et neutre du thérapeute est une sorte de miroir qui leur permet de prendre du recul, de traverser ce passage critique et de retrouver des repères perdus grâce à une meilleure connaissance de soi. D'autres, en revanche, préfèrent s'isoler dans un endroit retiré, comme un monastère, pour faire le point et réfléchir sur leur vie. Sans pratiquer une quelconque religion, ils manifestent par là le même besoin de s'extraire de leur environnement habituel pour se retrouver seuls face à eux-mêmes.

Dans cette réflexion avec soi-même, caractéristique de la crise du milieu de la vie, deux éléments vont prédominer : les réaménagements de l'identité personnelle et sociale mais aussi la modification de la perception du temps. Ils peuvent conduire aussi bien à une progression vers une forme de maturité et à un nouvel épanouissement qu'à un processus de repli et de déclin résigné vers la vieillesse. La question se pose néanmoins de savoir si la CMV constitue un passage obligé de l'âge adulte, comme le pensent certains, ou bien si ce moment critique témoigne simplement de la difficulté éprouvée à prendre un nouveau tournant.

DES FAITS, DES CHIFFRES, DES SIGNES

La crise du milieu de la vie est une notion relativement récente qui est apparue autour des années 1960-1970 dans la littérature psychosociologique anglo-saxonne. Définie comme une période instable déterminée par la prise de conscience douloureuse du vieillissement et de l'inéluctabilité de la mort, elle devient alors une nouvelle étape dans le développement de la personnalité adulte propre à nos sociétés industrielles.

Toutefois, peu d'études ont permis à ce jour d'identifier concrètement les populations traversant une crise du milieu de la vie. La plupart des travaux rapportent en effet des observations ou des exemples isolés. Malgré tout, si la CMV ne constitue pas encore aujourd'hui une entité aussi claire que la crise d'adolescence, par exemple, certaines conclusions semblent néanmoins se dessiner.

Hommes ou femmes, jeunes ou vieux

Il y a une dizaine d'années, une équipe suisse s'est efforcée d'objectiver la crise du milieu de vie et de fournir quelques données chiffrées [10]. La population de l'étude était composée de quelque 821 Genevois, âgés de 40 à 65 ans. L'objectif était de mieux cerner la perception de la CMV et de dégager les déterminants de ce moment critique. Voici les résultats auxquels cette étude a permis d'aboutir.

— À la question : « On parle beaucoup de crise entre 40 et 65 ans, vous sentez-vous concerné ? », 72 hommes interrogés (soit 17,7 % de la population masculine de l'étude) et 86 femmes (soit 20,7 %) ont répondu positivement. L'analyse des réponses par tranches d'âge de cinq ans montre que cette préoccupation domine entre 46 et 60 ans : une personne sur quatre donne alors une réponse affirmative, contre une personne sur huit pour la tranche 40-45 ans.

— Concernant les déterminants de la crise du milieu de la vie, six domaines ont été évoqués : les préoccupations familiales, les préoccupations professionnelles, les problèmes générationnels, la ménopause, la santé physique et le vieillissement, les remaniements individuels. Là encore, c'est entre 46 et 60 ans que les préoccupations listées sont les plus fortes. Arrivent en tête les inquiétudes liées à la santé physique et au vieillissement ainsi que la perception de difficultés psychologiques individuelles.

— Autre constat : la différence de perception de la crise du milieu de la vie selon le statut familial. Les femmes concernées par la crise vivent plus souvent seules ou en couple, c'est-à-dire sans enfant ou ayant des enfants partis du foyer. Les hommes, eux, sont plus souvent en couple avec des enfants au foyer.

— Enfin, il semblerait qu'il existe une corrélation entre la perception de la crise et l'état de santé. Les personnes qui présentent des problèmes de santé ou une maladie grave ressentiraient davantage la crise avec prioritairement une sensation de malaise personnel et d'avenir bloqué.

D'autres études, émanant de psychologues cliniciens et portant sur des échantillons importants de population, ont tenté d'identifier des items spécifiques à la crise du milieu de la vie. Des chercheurs nord-américains [11, 12] ont ainsi utilisé une échelle d'évaluation des préoccupations concernant la mort (*Death Concern Scale*) et mesuré l'intensité de la crise en la corrélant avec les types de tempéraments introvertis. Une autre équipe, en Pologne cette fois [13], a entrepris de répertorier les conditions « nécessaires et suffisantes » à l'émergence de la crise masculine du milieu de la vie. Quatre conditions principales ont ainsi pu être répertoriées : difficultés à établir une priorité dans ses valeurs ; orientation vers le passé supérieure au futur et manque de buts dans l'avenir ; sensation d'oppression par le temps ; introversion et manque d'ouverture face aux expériences nouvelles.

À tout le moins, et compte tenu de l'état actuel des recherches sur le sujet, on peut conclure, sans risque, que la notion de crise du milieu de la vie, sans avoir de statut universel, possède un impact puissant dans l'imaginaire des adultes occidentaux qui traversent cette période [14]. Il n'est d'ailleurs pas exclu que les difficultés présentées lors de cette transition soient un jour rangées dans la rubrique « troubles de l'adaptation » du très sérieux manuel DSM IV qui fait référence en psychiatrie.

Les différents visages de la crise

Actuellement, à quelques exceptions près, la crise du milieu de la vie n'est pas encore très clairement ciblée. Deux raisons majeures peuvent expliquer ce flou ambiant. Il y a, d'une part, le fait que cette période se résume trop souvent, dans l'imaginaire collectif, à la ménopause pour les femmes et au « démon de midi » pour les hommes. Or, si ces aspects font bel et bien partie du tableau de la CMV, ils n'en représentent que la partie émergée : la réalité de la crise de la quarantaine ou de la cinquantaine est autrement plus complexe. D'autre part, la croyance selon laquelle une crise est nécessairement spectaculaire et bruyante est si forte qu'on imagine immédiatement une quadragénaire ou un quinquagénaire qui s'en va, quitte son conjoint, ses enfants ou son travail, voire tout à la fois, pour recommencer une nouvelle vie, oubliant qu'on peut traverser une crise, parfois assez longue, sans bouleverser sa vie de manière radicale. C'est pourtant la majorité des cas. La plupart des individus concernés vont, en effet, se contenter de réorganiser leur existence dans un ou plusieurs domaines, privilégiant le privé ou le professionnel, après un temps de doute, de distanciation et de nouveaux choix. Et ce travail, car il s'agit bien d'un travail personnel, se fait seul, progressivement, éventuellement en recherchant à travers la lecture ou le cinéma un écho à ce qu'on vit intérieurement, ou bien en recourant à une aide psychothérapique.

Sans négliger l'aspect de rupture qui existe indéniablement dans la CMV, il faut garder en mémoire l'idée qu'il s'agit le plus souvent d'une période transitoire débouchant sur des

Bientôt des spécialistes du milieu de la vie ?

Les psychiatres peuvent être sollicités de deux façons dans un contexte de crise du milieu de la vie, à l'occasion d'une consultation ou dans le cadre d'une hospitalisation. En cabinet, nombreux sont les patients qui, entre 40 et 50 ans, viennent pour des symptômes ou pour un malaise psychologique qui relèvent de la CMV. De même, certains troubles plus invalidants nécessitant une hospitalisation, c'est le cas en particulier des dépressions, peuvent s'interpréter comme des expressions de CMV.

Pour le moment, à la différence de ce qu'on observe pour l'enfance et l'adolescence, aucun psychiatre en France n'est spécialisé dans cette période de la vie. Ce type d'orientation, en revanche, se dessine en Amérique du Nord. Une équipe canadienne [15] a ainsi mis en place, il y a quelques années, une unité pilote, la *Midlife Crisis Unit*, au sein d'un service de psychiatrie générale.

---

réaménagements intérieurs, profonds mais discrets, voire sur une véritable renaissance. Certes, et nous l'avons vu, le milieu de la vie se présente comme une période privilégiée en termes de pertes, de deuils et de désillusions. C'est aussi une époque marquée par une série de changements personnels qui surgissent insidieusement et qui n'ouvrent pas *a priori* sur des perspectives enthousiasmantes. La perception des limites du temps, l'idée de la mort comme une réalité potentielle, la perte de la jeunesse que souligne le départ des enfants, la perte subjective de certaines capacités physiques ou intellectuelles font partie des deuils du midi de la vie. Noircissant le trait, certains prétendent même que la sagesse de l'âge mûr ne serait que l'acceptation des renoncements et des limitations d'un bilan que plus rien ne peut changer... Rien n'est plus faux, à mon sens. La facilité à surmonter ces épreuves de deuil n'est pas donnée à tout le monde, mais la crise du milieu de la vie correspond parfois au prix à payer pour y faire face, et, dans la majorité des cas, son dénouement peut se traduire par un regain de créativité personnelle.

L'aube d'une nouvelle vie

La notion de créativité ne se limite pas au talent, elle peut s'entendre, plus largement, comme un mouvement intérieur qui comprend la recherche de modes d'expression de soi plus épanouissants, l'élaboration de nouveaux choix davantage en adéquation avec ses aspirations profondes, la formation de nouveaux projets plus authentiques. Comme le dit Jung, « ce que la jeunesse trouve et devait trouver au-dehors, l'homme dans son après-midi, doit le trouver au-dedans de lui-même [16] ».

Vue sous cet angle, la CMV peut se dénouer selon deux grandes orientations. La première aboutit à un renouveau : on change de vie, on la réaménage en abandonnant une partie de soi-même ou bien en procédant à des modifications partielles dans un mélange plus ou moins harmonieux de renoncements et d'aspirations. La seconde issue paraît *a priori* plus négative : c'est le chaos, l'impossibilité de se distancier pour se projeter plus loin. L'entrée dans les troubles pathologiques, psychiques ou psychosomatiques, est alors inéluctable : la CMV s'est changée en « crise-maladie » (voir le chapitre VII). Mais, même à ce moment-là, les dés ne sont pas jetés, et la maladie, loin de constituer un refuge, peut se transformer en « maladie créatrice ». Elle devient, alors, une sorte de préalable nécessaire pour pouvoir rebondir et se trouver soi-même.

Le schéma suivant permet de visualiser l'évolution de la créativité intérieure liée à la CMV.

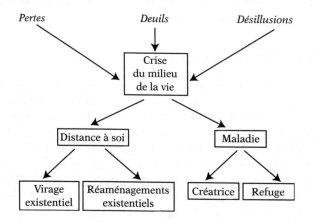

Certains d'entre nous ont la chance de posséder des dons ou des talents qui par moments leur permettent de s'épanouir ou de dépasser leurs difficultés, et à d'autres périodes ne peuvent pas s'exprimer faute d'inspiration. Celle-ci fluctue avec l'humeur et les états émotionnels (des artistes peintres ou sculpteurs, par exemple, souffrant par ailleurs de dépressions récurrentes, ne produisent rien pendant les épisodes dépressifs, qui sont suivis par un nouveau souffle, une libération d'inspiration).

De nombreux psychanalystes ont travaillé sur les relations entre les deuils, au sens large, la dépression et la créativité, notamment artistique et littéraire [17, 18, 19]. Voici certains exemples connus parmi bien d'autres : Paul Gauguin, qui découvre la peinture vers l'âge de 27 ans, mène jusqu'à 33 ans une vie professionnelle et familiale plutôt rangée, en Bretagne. Puis, après une cassure existentielle qui correspond peut-être au krach boursier de 1882, il abandonne un peu plus tard son travail d'employé de banque ainsi que sa famille pour partir d'abord pour Panama, n'emmenant pour tout bagage que ses pinceaux, ses couleurs et ses tableaux de Cézanne dont il est féru. C'est à partir de l'âge de 39 ans que débute vraiment sa carrière de peintre, dont les toiles figurent parmi les plus belles collections du monde.

Faut-il souffrir pour devenir créatif ?

Il semble en effet que l'on retrouve souvent à l'origine de la créativité des événements de deuil, et la souffrance, en général, paraît constituer un facteur de créativité [20, 21]. La liste est longue des artistes qui ont, par exemple, été très tôt orphelins de père ou de mère. Citons, pour mémoire, George Sand, Baudelaire, Zola, Stendhal, Nerval, Balzac ou Kipling. De même, le rôle joué par la maladie physique ou psychique dans la créativité de Darwin, Proust ou encore Toulouse-Lautrec a souvent été mis en avant. L'écrivain Thomas Mann disait de lui-même dans une de ses premières nouvelles intitulée *Sang réservé* : « Ma santé est fragile, je n'ose pas dire malheureusement, car je suis convaincu que mon talent est inséparablement lié à l'infirmité corporelle. » Enfin, le besoin d'exorciser le traumatisme de la mort pourrait se retrouver au berceau de la culture humaine : l'homme de Néandertal, en badigeonnant les ossements des morts, en dessinant et sculptant les roches, ne tentait-il pas de garder et réparer ce qui avait été perdu ?

Certains auteurs se sont plus spécifiquement penchés sur l'influence du deuil ou de la frustration au midi de la vie et ont montré comment cette période peut être le point de départ d'une fantastique créativité [22, 23].

Autre génie, Jean-Sébastien Bach est d'abord organiste avant de devenir chantre à Leipzig à 38 ans, âge à partir duquel il compose l'œuvre gigantesque qui restera à la postérité. Brahms, Bruckner sont encore d'autres exemples d'expression tardive de la créativité.

Freud, dont l'héritage, même s'il est discuté, aura marqué des générations, est un autre exemple significatif. Le maître Freud traverse, à partir de sa trente-huitième année, une crise très nette qui se manifeste tout d'abord par des troubles anxieux et dépressifs, puis, quelques mois plus tard, par des troubles du rythme cardiaque dont la part psychologique a été largement suggérée. Pour la première fois de son existence, il perçut réellement intensément la possibilité de sa mort personnelle. Comme Goethe qui, entre 37 et 39 ans, avait trouvé un siècle plus tôt un renouveau d'inspiration et de style au cours d'un séjour à Rome et à Naples, et qui était pour lui un modèle d'identification, Freud entreprend lui aussi un voyage en Italie. De retour à Vienne où il n'a gardé qu'un seul ami et confident, il se replie sur lui-même, renonce progressivement à l'hypnose qu'il pratiquait jusque-là, et commence à s'autoanalyser et à développer sa théorie sur les névroses. Au début de l'année 1896, à 40 ans, il donne un nom à sa découverte : la « psycho-analyse ». À la fin de cette même année, son père meurt. Le travail de deuil de ce père, qui avait dit de lui, lorsqu'il avait environ 6 ans : « Ce garçon ne fera rien de bon », a sur son travail un effet libérateur. Un an après, il finit de mettre au point sa théorie du complexe d'Œdipe restée, qu'on y adhère ou qu'on la réfute, à la postérité. À la malédiction que son père avait proférée à son égard lorsqu'il était enfant, Sigmund Freud répond par un démenti : il a fait quelque chose, il a créé la psychanalyse.

À l'instar de Freud ou de Proust qui commence vers 38 ans la première partie du cycle romanesque *À la recherche du temps perdu*, beaucoup d'entre nous attendent le midi de la vie pour se libérer de certaines chaînes et donner enfin le meilleur d'eux-mêmes, parfois après une période de souffrance et de « traversée du désert ».

Comme on le voit, il est relativement rare que l'issue de la crise soit entièrement négative, mais il faut un minimum d'appui et de distance vis-à-vis de soi-même. Le test qui suit est justement destiné à vous aider à avoir le recul nécessaire pour mieux prendre le tournant.

À VOUS MAINTENANT : VOTRE RAPPORT AUX CRISES

Répondez par oui ou par non aux questions suivantes.

	Oui	Non
Savez-vous prendre le temps de réfléchir seul à votre vie sans que cela vous angoisse ?		
Avez-vous dans votre entourage proche au moins une personne avec laquelle vous pouvez parler de sujets personnels sans crainte d'être jugé, critiqué ou ennuyeux ?		
Pensez-vous que le fait de parler de vos problèmes personnels à quelqu'un de neutre peut vous aider ?		
Avez-vous, en dehors du domaine professionnel et familial, des activités qui vous permettent de vous évader ou de vous exprimer autrement (sportives, artistiques, manuelles, intellectuelles...) ?		
Avez-vous déjà traversé une ou des épreuves psychologiques difficiles et estimez-vous qu'elles vous ont permis de progresser ?		
Pensez-vous que c'est dans la deuxième partie de l'âge adulte que l'on peut enfin devenir soi-même ?		

Si vous avez répondu « oui » à quatre questions au moins, vous êtes capable, en cas de crise, de suffisamment de recul pour analyser la situation et réfléchir à des solutions, ou bien vous pouvez vous appuyer sur votre entourage.

Dans le cas contraire, vous êtes peut-être méfiant vis-à-vis de l'aide que peuvent vous apporter les autres, mais vous pouvez sans doute dans certains domaines puiser des sources d'expression et de créativité personnelles (bricolage, lecture, sport, danse, philatélie...) qui ne demandent qu'à être explorées.

Chapitre III

Les coulisses de la quarantaine

> « Qu'est-ce que la vie ? Une frénésie. Qu'est-ce
> que la vie ? Une illusion, une ombre, une fic-
> tion. Le plus grand bien est petit, toute la
> vie est un rêve et les rêves ne sont que des
> rêves. »
>
> CALDERON, *La vie est un songe.*

Jusque-là, l'existence s'organisait autour d'activités multiples dans différents domaines — professionnel, conjugal,
familial, amical — orientées vers le futur. Puis arrive le milieu
de la vie, et, avec lui, surgit la prise de conscience du temps
qui passe, des limites de l'existence et de l'avenir circonscrit.
On commence à regarder et à juger le passé. L'heure du bilan,
le temps de la réflexion succèdent à l'action. Satisfactions et
regrets vont faire pencher la balance avec plus ou moins
d'équilibre.

L'AVENIR EN QUESTIONS

Le milieu de la vie est, en effet, le passage où l'on découvre, plus ou moins brusquement, que la trajectoire de l'existence n'est pas uniquement ascendante : vient le moment où l'on atteint un sommet, depuis lequel se déroule un autre versant en pente descendante. On s'aperçoit que « la vie accomplie n'est que la modalité réalisée de multiples trajectoires imaginées [1] ». Il faut alors admettre que tous les projets, tous les désirs ne seront pas réalisés : certains resteront inachevés ou irréalisables.

Voici ce qu'exprime François, 43 ans, cadre, en proie à un mal-être aux accents douloureux alors qu'il menait jusque-là une vie familiale et professionnelle épanouissante : « À 20 ans et même il y a quelques années encore, dit-il, j'avais l'impression que tout pouvait changer, je pouvais imaginer d'autres vies possibles. Maintenant, quand je pense à l'avenir, je ressens un malaise indéfinissable, l'impression que je ne pourrai plus rien réaliser de neuf, que tout sera identique et répétitif, que l'avenir est derrière moi. Je n'arrive plus à trouver de nouveaux rêves. Et même si j'y parviens, je sais que cela ne se réalisera pas, il ne me reste plus assez de temps. »

Ne plus trouver le temps pour « changer de rêve [2] », avoir le sentiment que le temps est désormais compté... Voilà des thèmes récurrents à partir de la quarantaine. Certains ont d'ailleurs proposé [3] de fixer la période de la crise du milieu de la vie au moment où l'on mesure son âge en fonction du temps qu'il reste à vivre et non des années vécues. Le sentiment des limites de l'existence vient faire échec, à la mi-vie, à l'idée que tous nos rêves puissent se réaliser. Avec la découverte de ces limites, la réalité de la mort se précise, et c'est elle justement qui vient déclencher la prise de conscience qu'il existe un seul et unique cycle de vie[4].

Combien de temps reste-t-il ?

« On se savait mortel, tout à coup, on se sent mortel », écrit Roland Barthes[5]. Tout est dit ou presque dans cette phrase. Réaliser que la mort n'est plus une donnée rationnelle mais qu'elle nous concerne concrètement est un élément fondamental de la CMV.

Comment évolue la conscience de la mort ?

Chez l'enfant

L'acquisition de la notion de mort est assez progressive et difficile à situer dans le temps, car elle semble dépendre des expériences vécues. Elle sera, par exemple, plus rapide chez les enfants qui ont été confrontés à la mort dans leur entourage ou qui ont une maladie grave. Elle comprend un double versant[6] :

— *Intellectuel*
La mort est d'abord perçue comme un état temporaire semblable au sommeil. Puis s'installe la notion d'irréversibilité, de « plus jamais », vers 4-5 ans. L'idée d'universalité est acquise vers 5-7 ans : la mort concerne tout le monde, y compris soi-même. L'idée d'inconnu après la mort se développe vers 9-10 ans.

— *Affectif*
L'enfant est très dépendant de ce que lui transmettent les adultes (tristesse exprimée, rationalisation, etc.). Sur le plan affectif, la mort correspond à l'acquisition de la notion de perte définitive.

Chez l'adolescent

L'adolescent manipule fréquemment l'idée de la mort [7] : elle fait partie de ses interrogations sur le sens de la vie ; elle renvoie à la fréquence de la thématique dépressive, laquelle peut s'exprimer sous forme de morosité ou de vrais moments dépressifs ; elle peut s'exprimer par des attitudes de défi (conduites à risque, par exemple).

Chez l'adulte

Il existe de nombreuses nuances dans la conception de la mort, et surtout une multitude de comportements nous permettant de refouler ou de tenir à distance cette idée le plus longtemps possible : attitudes de défi comme chez l'adolescent ; rationalisation, intellectualisation ; foi, croyances diverses ; rire, humour noir. Le décès d'un proche, le fait de devoir affronter soi-même une maladie grave ou de frôler la mort et, enfin, le vieillissement ont toujours pour effet de rendre plus concrète l'approche de la mort.

Dans cette prise de conscience qui caractérise la mi-vie, il y a d'abord les premiers décès au sein de l'entourage : ceux de ses parents mais aussi d'hommes et de femmes de la même génération que soi. La première fois, on peut feindre de croire que c'est un accident de parcours, mais, devant la répétition des décès à intervalles irréguliers, il faut bien se rendre à l'évidence. S'installe ainsi la conscience que la mort, à la différence du vieillissement contre lequel nous pouvons lutter, est inéluctable.

— *Le jour où ce sont ses propres parents*, quelque chose change pour toujours. Plus rien ne sera comme avant. Leur deuil réel, même s'il vient en son temps « normal », ébranle définitivement l'insouciance de l'enfant qui sommeillait encore en soi. Les périodes de jeunesse défilent : les premières années, les moments heureux, les mauvais souvenirs aussi... Ces réminiscences sont l'une des étapes du deuil et stigmatisent ce qui appartient désormais au passé : c'était hier ; aujourd'hui, les rôles sont différents.

Pour peu qu'il y ait un fort lien de dépendance, c'est un sentiment de protection qui s'effondre : vous voici en première ligne. En exagérant à peine, si l'on suit l'ordre logique des générations, on fait partie des « prochains sur la liste », on n'est plus protégé par le rempart des aînés. Pour certains, c'est aussi le moment où l'on se sent adulte pour la première fois, où il faut abandonner définitivement et douloureusement l'enfance.

Pierre, 42 ans, en prend conscience un an après la mort de son père auquel il était très attaché : « J'ai d'abord été triste et nostalgique, me raconte-t-il. Ensuite, j'ai progressivement ressenti une sensation de responsabilité écrasante et par moments angoissante, comme si je sortais seulement de l'adolescence. Je n'avais plus d'insouciance, pourtant je suis moi-même père de trois enfants. Mais jusque-là, j'étais aussi le fils de mes parents... Je me suis aussi senti responsable de ma mère, alors que nous sommes trois frères et que je ne serai pas seul à devoir m'en occuper. Elle est en plus parfaitement autonome sur tous les plans, mais j'ai anticipé brutalement le moment où elle pourrait devenir dépendante. »

— *Quand ce ne sont pas nos parents, ce sont leurs amis qui disparaissent*, ce qui les touche et nous atteint, aussi, par ricochet.

Annie, 38 ans, a déjà perdu son père à l'adolescence. Aujourd'hui mère de trois petites filles, elle est frappée de plus en plus par les décès des amies de sa mère : « Je suis très éprouvée par ces nouvelles, je me dis qu'un jour ce sera elle et je me rends compte que je vais avoir 40 ans. Bientôt, ce sera aussi le déclin, pour moi, mon mari, nos amis... »

— *Enfin, c'est aussi dans sa propre génération que l'on commence à mourir* : la mort d'amis proches porte souvent un coup encore plus violent à l'illusion d'une trajectoire ascendante de la vie. Voici deux réactions différentes à la prise de conscience brutale du caractère éphémère de la vie.

Jean-Paul, 44 ans, vient de perdre un ami d'enfance dans un accident de bateau : « Plus rien ne sera plus comme avant, dit-il. J'ai revu et perdu mon enfance. Je n'ai plus le même plaisir à vivre et je deviens plus inquiet, en particulier pour mes propres enfants. Je m'interroge souvent sur le sens de l'avenir et même sur celui de la vie. Pendant plusieurs mois, tout m'a paru dérisoire, mon travail, mes loisirs et même ma vie de famille. Comme si j'étais étranger à ma propre existence. »

Pour Yves, 44 ans aussi, le décès d'un collaborateur professionnel proche a provoqué, après une période de doute et de tristesse, une frénésie hyperactive, en particulier dans le domaine sportif et des loisirs : « J'ai d'abord eu le sentiment d'un accident injuste, puis j'ai compris qu'à partir d'un certain âge le temps est compté pour tout le monde et qu'il vaut mieux profiter de la vie avant qu'elle ne nous fasse faux bonds. J'ai même tendance à prendre des risques. »

Cette proximité soudaine de la mort qui nous fait appréhender la nôtre, lorsqu'elle nous touche pour la première fois, rend sans doute plus attentif à tout ce qui peut l'évoquer. De même que l'étudiant en médecine s'ausculte et croit déceler en lui les nouvelles maladies qu'il découvre à l'université, l'adulte confronté de près à la mort met une vigilance presque morbide à déchiffrer les moindres signes de déclin ou de vieillissement. Il est vrai que certains commencent à apparaître...

LES TRAHISONS DU CORPS

Une autre confrontation commence en effet à altérer aussi, au milieu de la vie, notre sentiment de continuité de l'existence : celle du vieillissement de notre corps.

Quand les premiers clignotants s'allument

Autour de la quarantaine, une multitude de petites faiblesses dans la vie quotidienne se répètent et nous annoncent que la jeunesse risque de s'éloigner.

Les uns ne peuvent plus se coucher tard plusieurs soirs d'affilée et s'imaginent encore plus difficilement passer des nuits blanches à danser ou à refaire le monde. Les autres ne supportent plus les repas trop riches : il faut se surveiller, sous peine de se sentir mal à l'aise dans son corps ou d'attirer quelques rondeurs. Le temps des vacances et du repos change lui aussi : le besoin de récupérer se fait davantage sentir, le temps libre n'est plus aussi actif. Un léger essoufflement en montant les marches de l'escalier, le mot « fatigue » prononcé un peu plus souvent, un léger embonpoint au-dessus des hanches, un peu de cellulite qui s'infiltre...

Sans être en elles-mêmes vecteurs de crise, une foule de petites diminutions, réelles ou vécues comme telles, bien banales, clignotent pourtant de manière inquiétante dans le ciel du midi de la vie.

Même lorsque aucune maladie physique grave n'est venue entacher l'existence, le corps de la femme et de l'homme autour de 40 ans commence à changer, à moins résister à la fatigue et à afficher les premiers stigmates du temps qui passe : premières rides, premiers cheveux blancs, quelques muscles plus flasques... Rien de grave au fond, mais de petites inquiétudes. « Car c'est essentiellement cela, le romanesque triste de la quarantaine : constater que, pour la première fois, votre corps vous lâche[8], écrit François Nourissier. Cette trahison de la force physique, ce défaut soudain sont irrémédiables. Le quadragénaire le sait et il entre dans l'amertume centrale de sa vie. Ce n'est pas encore la déchéance, l'épuisement, la décrépitude ; c'est le passage de l'insouciance à la *vulnérabilité*... »

Les Tarzans du dimanche

Les médecins, en particulier les rhumatologues, ont l'habitude de voir, aux consultations du lundi matin, des pères qui ont voulu se lancer avec leurs enfants dans des joutes sportives sans prendre la précaution de se remettre en forme. Ce sont ces rescapés du week-end (claquages musculaires, entorses...) que nous appelons parfois dans le jargon médical les « Tarzans du dimanche ».

Attention, au début, aux risques d'une insuffisante préparation et d'un réveil musculaire un peu brusque ! Les hommes comme les femmes commencent, dès la trentaine, à perdre progressivement en vigueur, en tonicité musculaire et en élasticité ligamentaire. Cette diminution est insidieuse et ne se découvre, pour celle ou celui qui ne pratique pas d'exercice physique régulier, que dix, quinze ans plus tard.

Mieux vaut avoir la sagesse de repartir progressivement, avec persévérance. Vous pourrez alors, tout comme ceux qui ont poursuivi une activité sportive régulière, découvrir qu'il vous reste de belles capacités d'endurance, voire la possibilité de regagner en souplesse, et le plaisir de vous retrouver en harmonie avec ce corps que vous croyiez fatigué.

Les uns décident alors de « s'entretenir », de se remettre à faire un sport qu'ils avaient abandonné, s'inscrivent dans une salle de gymnastique ou font du jogging. « La forme, pas les formes », proclame la publicité. Variante moderne du *mens sana in corpore sano* : entretenons un corps sain pour garder l'esprit qui va avec. Il faut bien dire que ce corps a souvent été délaissé pendant les dernières années où il a fallu concentrer son énergie sur son développement professionnel, son rôle de parent, son avenir social. C'est donc souvent le moment, pour le quadragénaire « installé » socialement et professionnellement, de rattraper le temps où il n'a pu s'accomplir physiquement. La remise en route a des chances de se révéler laborieuse.

Bien sûr, il n'est pas indifférent d'être dépassé ou vaincu pour la première fois par son enfant : c'est en même temps gratifiant et troublant. Vous êtes fier de lui, pourtant vous touchez du doigt que le sommet de vos forces vives est derrière vous. Une sensation de finitude vous effleure, alors que votre corps regorge encore de ressources.

Vétéran à 30 ans !

Si l'on prend l'exemple de sports nécessitant des qualités à la fois de puissance musculaire et de rapidité de détente tels que le football, le rugby ou le tennis, force est de constater que l'âge des joueurs en équipe nationale dépasse rarement 30 ans. Au-delà, ils ne sont plus assez performants pour garder ce même niveau, mettent un terme à leur carrière sportive et se reconvertissent, en entraîneur par exemple ou dans tout autre métier où leur notoriété leur assure généralement une bonne carte de visite.

Si l'expression « trahisons du corps » est assurément trop forte pour évoquer les prémices du vieillissement du milieu de la vie, en revanche, il ne faut pas négliger ces sensations de finitude et de vulnérabilité. Ce sont elles qui teintent de sombre la quarantaine. Le même phénomène se produit d'ailleurs à propos de la santé : autour de vous on parle d'infarctus du myocarde, de cancer... Oui, l'infarctus peut frapper à 40 ans, mais il lui faut pour cela plusieurs facteurs de risque que l'on connaît bien de nos jours — tabagisme, antécédents et facteurs de risque familiaux, hypercholes-térolémie par exemple —, et son pic de fréquence se situe vingt ans plus tard. La prise de conscience d'une certaine vul-nérabilité physique n'est en aucun cas une raison pour se croire vaincu d'avance : c'est tout simplement l'âge de la prévention.

DE LA COSMÉTIQUE AU BISTOURI

Peut-être plus cruel, car plus visible, est le vieillissement de notre aspect extérieur. Il est, lui aussi, épinglé et largement utilisé par les publicitaires afin d'assurer le commerce de divers produits cosmétologiques dont l'efficacité miraculeuse mérite d'être relativisée : crèmes antirides, lotions antichute des cheveux, etc.

Le vieillissement socialement incorrect

Relancé il y a une vingtaine d'années sur la côte Ouest des États-Unis, le culte du corps occupe une place importante dans nos sociétés occidentales. D'autres civilisations plus anciennes le magnifiaient déjà en leur temps. Les Grecs, par exemple, célébraient sa force et sa beauté, dédiant le sport à des dieux d'envergure tels que Zeus, Apollon ou Poséidon. La différence aujourd'hui tient au rôle prépondérant des médias qui en assurent une très large diffusion, qu'il s'agisse des spots publicitaires, des magazines féminins ou masculins.

Tôt ou tard ?

« Les ruines d'une maison/Se peuvent réparer : que n'est cet avantage/Pour les ruines du visage[9] ! », écrivait Jean de La Fontaine dans l'une de ses fables. Les progrès de la médecine lui répondent et pourraient aujourd'hui le réconforter un peu...

La dermatologie esthétique s'est, en effet, considérablement développée ces dernières années. On connaît mieux l'évolution, les causes extrinsèques et intrinsèques du vieillissement cutané : le temps, le soleil, les déséquilibres nutritionnels, la pollution et le tabac ou les remaniements hormonaux[10]. Ces différents facteurs auxquels personne n'échappe entraînent une altération des constituants principaux de la peau — collagène et fibres élastiques — et des muscles peauciers. Ils induisent l'apparition des rides et la diminution de l'élasticité de la peau[11]. Nous y sommes tous, tôt ou tard, confrontés.

Les stéréotypes culturels actuels valorisent à l'extrême l'allure extérieure et la beauté physique. Cette préoccupation, si elle a toujours existé, s'est démocratisée et amplifiée : l'apparence, le « look » font désormais figure de valeur sociale et parfois professionnelle. La profusion d'images qui caractérise notre époque constitue un réservoir de modèles d'identification accessible à tous, où beauté rime avec jeunesse. Dans une dialectique de l'offre et de la demande, les progrès médicaux, en particulier de la cosmétologie et de la chirurgie esthétique, vont finir par rendre le vieillissement inacceptable, voire socialement coupable : pourquoi ne pas avoir recours à ces nouvelles techniques puisqu'elles existent, qu'elles ont fait leurs preuves et que d'autres les ont essayées ?

Miroir, ô mon miroir

Notre peau, véritable barrière de protection entre intérieur et extérieur, est aussi une zone d'échange avec les autres, un lieu de plaisir et d'expression de pulsions, un lieu où s'inscrivent des traces et des messages tout au long de notre vie[12]. Elle fait partie de notre identité, et son altération avec le temps possède une valeur très symbolique. Il est, par exemple, très inquiétant pour certains d'entre nous de voir apparaître sur notre visage ou sur notre corps des signes qui nous ont marqués dans le vieillissement de nos parents, au point de nous identifier à leur vieillesse : le creusement précis de certaines rides, une lourdeur dans les paupières, des taches sur la peau...

Particulièrement exposée au soleil, aux intempéries, la peau du visage est aussi la cible du regard d'autrui. Avec le temps, elle accuse insensiblement et insidieusement le coup. « Chaque jour, je me regarde dans le miroir, et je vois le visage d'un autre », écrit Paul Guimard dans *Le Mauvais Temps*. Or notre visage occupe dans nos relations aux autres une place privilégiée. Les yeux, le nez et le front correspondent à une perception visuelle privilégiée, c'est même celle qui provoque les premiers sourires chez le nouveau-né entre le deuxième et le sixième mois[13]. L'autre zone mobile, la bouche, parle de nous et fait l'objet à elle seule de nombreuses interprétations morphophysiologiques. « Du sourire à l'ébauche du baiser, elle est le message muet des passions[14] », écrit Cyrille Koupernik.

C'est dire combien les ridules, quand elles commencent à l'entourer, nous atteignent au plus profond de nous-mêmes.

L'heure du lifting

Comme la cosmétologie, la chirurgie esthétique progresse, elle aussi, d'année en année. Autrefois dans l'ombre et pratiquée sous le manteau, jetant la suspicion aussi bien sur ceux qui officiaient que sur ceux qui y avaient recours, elle est depuis longtemps sortie de la clandestinité. Émissions radiophoniques ou télévisées, articles divers nous en révèlent régulièrement ses techniques. Il y a, bien sûr, le « lifting », du visage ou du cou, ou la chirurgie des paupières...

Jusqu'où êtes-vous prêt à aller ?

La tentation de retrouver ou de conserver sa jeunesse n'est pas une nouveauté. Comment ne pas penser au mythe de Faust raconté par Goethe, dans lequel beaucoup d'entre nous peuvent se retrouver ? L'histoire est la suivante : Faust, philosophe vieillissant, se désespère de ne pas s'accomplir à travers le savoir et songe à se suicider. Il rencontre Méphistophélès et lui avoue que, plus que la richesse, la gloire et le pouvoir, ce qu'il recherche est la jeunesse. Méphistophélès accepte d'exaucer ses vœux en échange de quelques services auprès de Satan... Sans doute faut-il voir dans ce drame une magnifique mise en garde contre le rêve d'une éternelle jeunesse...

Les candidats tentés sont nombreux. Ils y songent dès la quarantaine, mais doivent attendre un peu car il est généralement déconseillé de le pratiquer avant 50 ans, ne serait-ce que pour éviter l'entrée dans un processus de polyopérations

— l'efficacité n'est, en effet, pas définitive. Il arrive aussi que l'intervention soit différée ou même refusée, si le chirurgien estime que les attentes de son patient ou de sa patiente sont disproportionnées : retarder le vieillissement ne signifie pas retrouver sa jeunesse.

Toutefois, au midi de la vie, les candidats à la chirurgie esthétique ne sollicitent pas forcément un geste de rajeunissement. C'est aussi, pour certains, le moment de réaliser un désir ancien de changement, jusque-là non assouvi, par crainte d'une coupable frivolité, par manque d'information ou de temps. Plusieurs études[15] ont montré que la quarantaine partage avec l'adolescence le pic de fréquence des demandes de chirurgie esthétique et que beaucoup d'entre elles surviennent au cours ou au décours de périodes de crise : deuil, séparation, divorce... Traverser un changement existentiel se fait aussi en remettant en cause l'image de son corps, puisque celle-ci fait partie de son identité.

Au-delà du vieillissement, ce corps autour de la quarantaine devient l'objet d'attentions inquiètes. Il arrive que quelque chose que l'on détestait en soi depuis longtemps devienne soudain insupportable — un nez disgracieux, une poitrine trop plate ou portée des années durant comme un fardeau, des oreilles décollées, etc. — au point qu'on décide de l'« expulser » radicalement. Voici l'histoire de Monique, bel exemple de l'effet catalyseur de certains événements du midi de la vie.

À 46 ans, Monique a demandé la correction chirurgicale de son nez, effectivement volumineux. Cette gêne ressentie depuis longtemps a pris des proportions considérables au point qu'elle n'ose plus chercher du travail. Or cette recherche d'emploi est une nécessité pour la famille depuis le licenciement économique de son mari.

Mais c'est sa fille, âgée de 20 ans, qui va vraiment la convaincre de se faire opérer, après le succès d'une intervention de rhinoplastie chez deux amies. Plus précisément, c'est à l'approche des fiançailles de sa fille que Monique va, enfin, se décider.

D'origine modeste, Monique n'a jamais discuté de ses complexes avec ses parents : « Ils étaient pauvres, on ne parlait pas de ça... » Dans les yeux de son mari, ensuite, elle n'a rien lu d'inquiétant : « Il m'a toujours dit que ce n'était pas important... Il ne voit pas la nécessité de cette opération. » En revanche, dans les yeux de celui qui va épouser sa fille, elle redoute un miroir dévalorisant : « J'ai honte devant mon gendre... Je ne veux pas faire honte à ma fille pendant la cérémonie... Il est plus âgé qu'elle, il a une situation. »

Le fait que sa fille plaise à un homme possédant une situation sociale bien établie, dont elle-même a toujours manqué, a remis en cause ses propres possibilités de séduction et la pousse pour la première fois de sa vie à les améliorer.

Que nous dit l'histoire de Monique ? Son parcours montre que le midi de la vie est aussi l'occasion de s'octroyer enfin le droit à la séduction, d'oser prendre une décision jusque-là impossible et, d'une certaine façon, de s'affirmer à travers son corps.

NOTRE CERVEAU COMMENCE-T-IL AUSSI À VIEILLIR ?

Alors que certains d'entre nous se préoccupent de leurs rides, de leur chevelure ou de leur sveltesse, d'autres s'inquiètent davantage du déclin éventuel de leurs performances intellectuelles.

Le vieillissement du cerveau et du système nerveux est devenu un axe fort de la recherche en neurobiologie qui intéresse les neurologues, mais aussi les psychiatres et les spécialistes des personnes âgées. De sérieuses avancées, en particulier dans le domaine de la maladie d'Alzheimer et de la dépression, ont ainsi pu être réalisées, même s'il reste encore beaucoup d'inconnues.

Le spectre d'Alzheimer

« Impossible de retrouver certains noms, ça me revient quelques heures après », dit l'un. « Je ne retiens plus les films au cinéma », raconte un autre. « Je vais dans une pièce, mais je ne sais plus ce que j'allais y chercher », explique un troisième. Derrière ces petites déficiences, une crainte est de plus en plus présente : celle de la maladie d'Alzheimer. À force d'en entendre parler, beaucoup d'adultes, à peine ou même pas quinquagénaires, se demandent s'ils ne devraient pas faire quelques examens ou des tests pour se rassurer. Or, s'il existe des formes précoces de cette maladie, celles-ci restent exceptionnelles. En outre, elle correspond à des anomalies pathologiques de la transmission entre les cellules nerveuses qui interfèrent avec le processus de vieillissement.

On sait que notre cerveau, après une phase de croissance, puis une période de relative stabilité à l'âge adulte, subit un lent processus de détérioration au cours du vieillissement. On a longtemps pensé qu'il s'agissait d'un phénomène d'atrophie globale. De fait, nos cellules nerveuses, les neurones, contrairement à de nombreuses cellules du corps humain, ne se renouvellent pas : elles meurent au fur et à mesure que nous vieillissons. Nous sommes donc tous condamnés à cette déperdition progressive et inéluctable, dont la plus ou moins grande rapidité résulte de différents facteurs. L'hygiène de vie, l'alimentation jouent un rôle important. L'alcool, par exemple, possède une haute toxicité neurologique : il accélère les dysfonctionnements du système nerveux et de tout l'organisme.

L'un des phénomènes qui inquiètent souvent à partir de la quarantaine est la diminution de la mémoire. Que celle-ci s'amenuise à partir d'un certain âge, dont les limites varient selon les individus, ne fait pas de doute, mais il faut aussi savoir que certains facteurs psychologiques agissent sur nos capacités d'attention, de concentration et de mémorisation des informations nouvelles qui affluent vers notre cerveau. La surcharge d'informations, la fatigue accumulée rendent notre cerveau d'adulte comparable à une disquette informatique pleine, dans l'incapacité d'imprimer davantage. De la même façon, les états anxieux ou dépressifs diminuent nos capacités mnésiques, comme s'ils parasitaient notre mémoire et la détournaient de sa fonction principale.

Le syndrome du Post-it mental

Emploi du temps surchargé, accumulation de tâches non accomplies soumettent notre mémoire à rude épreuve et nous font vivre avec la crainte permanente d'oublier quelque chose.
Une femme de 41 ans, mère de famille active et cadre d'entreprise, qui cumulait depuis plusieurs mois surcharge et stress au travail avec une situation d'intense conflit intérieur, me dit un jour : « Je n'en peux plus, j'ai le syndrome du *Post-it* mental. »

Enfin, la mémoire s'entraîne et se motive : il n'y a rien d'étonnant à ce que l'adulte n'ait plus la même efficacité que lorsqu'il était étudiant et pouvait emmagasiner des centaines de pages, concentré exclusivement pendant quelques semaines sur son objectif de réussite aux examens.

Sur le plan scientifique, existe-t-il autour de 40-50 ans des signes neurobiologiques patents de vieillissement ? À l'occasion d'un colloque international tenu à Paris sur « le déficit neurobiologique de la cinquantaine », ou DNBC, certains chercheurs ont tenté de décrire un syndrome typique de cet âge. Pour eux, il existerait, à cette période de la vie, des signes de vieillissement caractérisés par des difficultés à se concentrer, à rassembler ses idées, à les exprimer clairement et à prendre des décisions[16].

Outre la perte progressive et définitive des neurones, évaluée à 6-8 % par décennie, ce qui aboutit à une baisse de 40 % à la cinquantaine[17], il semblerait que des zones localisées du cerveau soient particulièrement affectées par la diminution de substances intervenant dans la transmission entre deux neurones[18]. Certaines d'entre elles, impliquées dans les phénomènes de vigilance, subiraient, vers l'âge de 40 ans, une première phase de vieillissement. Cette modification entraînerait un meilleur contrôle des émotions, de l'anxiété et des réactions comportementales, mais aussi en négatif une relative passivité et un moindre dynamisme en réponse aux difficultés existentielles. D'autres travaux ont, depuis, affiné cette hypothèse, s'intéressent maintenant au rôle d'autres neurotransmetteurs et tentent de faire le lien entre leurs dysfonctionnements respectifs.

À chaque âge ses armes

À partir de la quarantaine, nous commençons indéniablement à perdre un peu de notre potentiel « neuronal ». Toutefois, en contrepartie, nous bénéficions de l'étendue de notre savoir et de toute notre expérience acquise. Celles-ci donnent un plus grand esprit de synthèse, une plus grande capacité à embrasser les problèmes dans leur ensemble. Ces qualités confèrent pour plusieurs années encore une acuité et un pouvoir intellectuels qu'aucun « jeune » ne peut disputer à ses aînés...

Compte tenu de l'état de la recherche actuelle, il est aujourd'hui plus que probable que des modifications de l'organisation biochimique et du fonctionnement cérébral influencent les variations de l'humeur, de l'émotivité et des comportements qui surviennent au « milieu » de l'âge adulte. Même si la science manque encore de certitudes quant aux mécanismes d'action de ces modifications, il est désormais évident que les facteurs psychologiques, et notamment l'anticipation du vieillissement et de la mort, n'expliquent pas seuls l'anxiété et l'impression de changement caractéristiques de cette période.

SEXUALITÉ, LE DÉCLIN ?

Dire que la sexualité décline avec l'âge serait un raccourci qui la limiterait à son sens le plus étroitement physique et qui négligerait sa dimension psychologique, laissant de côté la notion d'intimité.

Il existe, certes, au milieu de la vie des variations hormonales indéniables, mieux connues chez les femmes que chez les hommes, et il est attesté que celles-ci peuvent être à l'origine de la modification de certains de nos comportements. Néanmoins, on sait aussi que, tout autant que les flux hormonaux, le doute et l'anxiété peuvent perturber la vie sexuelle, la bloquer, voire la paralyser sans raison. Et c'est particulièrement le cas à la cinquantaine.

Les conséquences de la ménopause

La ménopause survient en moyenne entre 48 et 52 ans. Physiologiquement, elle correspond à la diminution progressive de la sécrétion des hormones féminines et aboutit à la cessation, laquelle va se traduire par l'arrêt définitif des règles, en général précédé par des irrégularités des cycles menstruels.

Les femmes, aujourd'hui, sont désormais bien informées et savent que, pour au moins 10 % d'entre elles, il faut s'attendre à des troubles de l'humeur (irritabilité, agressivité, hypersusceptibilité), du sommeil, des bouffées de chaleur, des variations de poids et, enfin, des troubles du désir. Globalement, les femmes qui accusent ces symptômes préménopausiques ne vivent pas cette période dans la sérénité.

Le désir mais aussi le plaisir sexuel sont en berne. Sans doute les perturbations hormonales sont-elles en cause — il est établi d'ailleurs que la diminution des œstrogènes intervient dans les dépressions du milieu de la vie —, mais les remaniements de l'image du corps sont également impliqués dans cette « inappétence » sexuelle : ce qui est altéré est cette image gratifiante que l'on pouvait avoir jusque-là de soi, de son corps et de ses capacités de séduction, à travers le regard de l'autre où l'on croit aujourd'hui lire un désaveu.

Outre ce cortège de désagréments physiques et psychologiques, les femmes d'aujourd'hui savent aussi que la ménopause est l'heure où se profile la fin de leurs capacités de reproduction. Du coup, surgit chez un nombre croissant d'entre elles la question de la grossesse, la dernière pour celles qui sont déjà mères, la première pour les autres, avant qu'il soit trop tard.

Ainsi Patricia, presque 40 ans, célibataire et sans enfant, qui a mené jusque-là une vie amoureuse plutôt mouvementée, se pose-t-elle, une fois encore, la question. « Je suis perturbée, me raconte-t-elle, car ma meilleure amie qui vit depuis un an en couple vient de m'annoncer qu'elle est enceinte. Elle est rayonnante... Jusque-là, j'y pensais sans y penser, mais je ne me voyais pas mère. Aujourd'hui, je doute... D'un côté, j'ai peur de passer à côté de quelque chose d'important dans la vie d'une femme ; de l'autre, j'ai l'impression d'être influencée par le fait qu'il ne me reste plus beaucoup de temps pour changer d'avis. »

L'idée que quelque chose va changer définitivement n'est toutefois pas angoissante pour toutes les femmes, loin de là. Certaines se disent même soulagées d'être libérées des contraintes liées aux menstruations et à la contraception. Pour elles, cette étape est synonyme de liberté, de renouveau et offre l'occasion de vivre une sexualité plus harmonieuse et plus épanouissante.

Les mystères de l'andropause

De leur côté, les hommes ne sont pas épargnés par l'inquiétude, même si leur vie n'est pas marquée par un phénomène physiologique d'interruption aussi net que la ménopause. L'andropause reste un événement non seulement mal connu, mais également très controversé sur le plan médical.

Ni jeunes ni vieux ?

De nombreuses études techniques ont été menées chez l'homme comme chez la femme pour tenter de chiffrer les modifications du comportement sexuel lors des différents âges de la vie. Parmi elles, la tranche d'âge 40-50 ans reste entourée de flou et relativement inexplorée. Ainsi, W. Masters et V. Johnson, qui ont été des pionniers à la fin des années 1960 et restent une référence en la matière, ne distinguent que deux catégories d'hommes et de femmes[19] : les « jeunes » de 20 à 40 ans et les « âgés » de 50 à 70 ans. Comme si nous n'avions pas d'autre alternative que d'être jeunes ou vieux...

Si tout le monde s'accorde sur le fait que, contrairement aux hormones féminines, il n'y a pas d'arrêt de sécrétion de l'hormone mâle qu'est la testostérone, en revanche, la question de la diminution progressive éventuelle de son taux fait l'objet de controverses [20]. Certaines études suggèrent, en effet, que la production de cette hormone pourrait être influencée par l'activité sexuelle, l'arrêt ou la baisse de celle-ci entraînant la diminution de celle-là, et inversement. D'un point de vue psychologique et comportemental, il existe des modifications de l'activité sexuelle masculine, largement reconnues, y compris par les spécialistes qui considèrent l'andropause comme une aberration sur le plan hormonal : ces modifications apparaissent plus manifestes à partir de 50 ans, même si, selon certaines études, l'activité sexuelle déclinerait chez l'homme dès la trentaine. C'est en tout cas à partir de la cinquantaine que des troubles jusque-là supportables ou épisodiques deviennent des sources d'inquiétude importante et éventuellement de consultation médicale : désir qui fait défaut, érection plus lente, éjaculation plus précoce [21]...

Une ménopause au masculin ?

Les troubles sexuels surviennent rarement de façon isolée ; ils sont en général associés à d'autres troubles susceptibles d'évoquer un équivalent masculin de la ménopause : anxiété, irritabilité, fatigue, troubles du sommeil et de la mémoire, pour citer les plus importants et par ordre de fréquence décroissante — de 45 % à 30 % [22].

Comme pour la sexualité féminine, ce ne sont pas seulement les taux hormonaux qui déterminent les comportements sexuels des hommes. Ceux-ci sont également dépendants des conditions de vie, de la situation matrimoniale, du milieu socioculturel et professionnel. Toutefois, aux facteurs classiques de perturbation qui affectent les deux sexes — lassitude, responsabilités professionnelles, perte de motivation, inquiétude pour des parents malades ou dépendants, peur de ne plus séduire — se surajoute dans le cas des hommes la méconnaissance des modifications de la sexualité au milieu de la vie. Alors que les problèmes féminins ont été relativement bien médiatisés, le manque d'information concernant la sexualité masculine accroît l'anxiété : les hommes voient dans les faiblesses dont ils sont victimes une anomalie inavouable, tandis que les femmes y lisent un signe de rejet ou une preuve de désamour. D'où les situations d'impasse dans lesquelles se trouvent les couples vivant ensemble depuis longtemps, l'importante demande de consultation en sexologie au midi de la vie et récemment le succès du Viagra, du moins avant que celui-ci soit accusé d'accidents cardiaques... Or il faut savoir que l'angoisse peut être à l'origine de l'impuissance, tout comme elle peut suffire à déclencher un autre symptôme, lui aussi en voie d'augmentation : l'éjaculation précoce.

Dans le corps ou dans la tête ?

Avant 60 ans, les causes organiques sont rarement seules responsables de l'impuissance masculine. Il ne faut pas pour autant les négliger. Un bilan médical peut être nécessaire pour déceler des désordres hormonaux pathologiques, un diabète ou des troubles vasculaires, par exemple. Avant d'en arriver là, n'oubliez pas que l'alcoolisme ou la prise de médicaments, en particulier certains antidépresseurs et anxiolytiques, peuvent modifier le comportement sexuel. Dans tous les cas, une prise en charge psychologique est fondamentale pour prendre en compte la composante anxieuse d'anticipation de l'échec et tenter de la diminuer.

Le « démon de midi »

Il est probable que dans votre entourage on vous ait relaté l'exemple d'Untel parti avec sa secrétaire ou la jeune fille au pair et de tel autre multipliant au vu de tout le monde — sauf peut-être de sa femme, à moins que celle-ci ne préfère fermer les yeux — les aventures donjuanesques. Le cliché a toujours suscité beaucoup d'intérêt et reste d'actualité. C'est un thème traditionnel de roman ou de film, c'est aussi le titre de spectacles humoristiques, c'est encore l'aventure toute récente d'un président des États-Unis...

Au début du xxᵉ siècle déjà, l'expression « démon de midi » existe et est utilisée. C'est même le titre que l'académicien Paul Bourget va donner à l'un de ses romans. Contrairement à ce que l'on pourrait penser, ce roman, qui nous paraît aujourd'hui désuet, développe autre chose que la débauche sexuelle du quadragénaire bourgeois. Du côté de l'abbé Fauchon, prêtre « défroqué » en ménage avec une jeune fille, il soulève le problème de la rupture avec les engagements profonds, ici religieux. Le second quadragénaire, Louis Savignan, a pris une route malheureuse : il retrouve l'amour de ses 20 ans, la passion enflammée de son adolescence et l'espoir de recommencer enfin une nouvelle vie, mais se heurte violemment à la morale de sa classe.

Par-delà la mièvrerie du ton et l'intention moralisatrice évidente, ce qui ressort de l'histoire des deux quadragénaires qui s'affrontent dans le milieu de la bourgeoisie catholique est pourtant l'aspect destructeur de cette crise.

Destructeur pour l'entourage certes, mais avant tout pour celui qu'elle habite, car c'est toute une partie de lui-même et de son existence qui vole en éclats et se trouve engloutie dans un mouvement violent vers un autre futur.

Le démon de midi selon Paul Bourget

Dans ce roman publié en 1914, deux quadragénaires s'affrontent dans le milieu de la bourgeoisie catholique parisienne. L'un, l'abbé Fauchon, passe de l'orthodoxie à l'hérésie en publiant un volume profanatoire et agnostique, rompt avec ses convictions religieuses et son éducation, et défraie la chronique en se mettant en ménage avec une jeune fille, Thérèse, fille d'un notable millionnaire. L'autre protagoniste, Louis Savignan, écrivain veuf de 43 ans, catholique pratiquant, dont le fils est justement amoureux de Thérèse, a pour maîtresse Geneviève Calvières, connue vingt ans auparavant, avant qu'elle n'épouse le directeur des Sucreries d'Aulnar. Indigné spirituellement par le revirement de Fauchon, Savignan décide d'écrire un article infamant où il dénonce la vie privée de l'abbé. Celui-ci, pour se venger, s'apprête à publier la correspondance amoureuse enflammée de Savignan à Geneviève qui a été dérobée par le mari trompé. Mais l'affaire prend un tour dramatique et se termine dans une atmosphère morbide où le fils Savignan est tué. Fou de douleur, le père renonce à partir avec Geneviève tandis que l'abbé reprend l'habit.

Le démon de midi n'est pas seulement le « diable au corps », c'est aussi une tentation libertaire destructrice. Soumis aux impératifs d'une vie moderne organisée autour des exigences de productivité, d'efficacité, de bonheur et de bien-être affichés, bousculé aussi par l'évolution des rapports entre les sexes, l'homme moderne s'inquiète de sa puissance virile et, parfois, se déprime. Lui qui avait autrefois le monopole du désir serait aujourd'hui dérouté car la femme, désormais, exprime son propre désir[23]. Telle est peut-être la signification qu'il faut actuellement donner au démon de midi qui saisit les hommes entre 40 et 50 ans.

Pourquoi « midi » ?

L'expression « démon de midi » puise ses racines beaucoup plus loin dans l'Histoire. Au IVe siècle, en effet, le *dæmonium meridianum* désigne pour les Pères du désert la tentation du milieu du jour qui frappe les anachorètes au milieu de la journée, aux heures les plus chaudes des cloîtres. C'est lui qui rend compte de l'« acédie », cette sensation envahissante de tristesse, véritable démon de la morosité, du dégoût et de l'insatisfaction, en même temps qu'une profonde révolte contre la spiritualité. Rebondissant sur cette idée, Paul Bourget précise : « Je donne, moi, le même nom à une autre tentation [...]. Cette tentation, c'est celle qui assiège l'homme, au midi, non pas d'un jour, mais de ses jours, dans la plénitude de sa force. Il a conduit sa destinée, jusque-là, de vertus en vertus, de réussite en réussite. Voici que l'esprit de destruction s'empare de lui — entendez bien : de sa propre destruction [24]. »

Mais en quoi les femmes sont-elles si inquiétantes ? Et de quelles femmes parlons-nous ? De l'actrice Glenn Close, dans le film *Liaison fatale*, entraînant Michael Douglas dans la spirale infernale d'un adultère fatidique ? Des « solitaristes [25] », selon le terme d'Évelyne Sullerot, qui programment leur vie de façon individuelle et cherchent un compagnon pour former un « couple de vie » et non plus un couple d'amants ? Ou encore de ces femmes qui, prises par leur volonté de réussite socio-professionnelle et d'épanouissement personnel, ne seraient pas assez sécurisantes ? Une façon de se rassurer serait alors de se laisser tenter par de nouvelles expériences amoureuses, et c'est ce que fait le quadragénaire, attiré par l'ivresse de la liberté auprès d'une femme plutôt plus jeune. Mais les femmes peuvent, elles aussi, désormais adopter plus librement ce type d'attitude aventurière, visant à s'assurer de leur potentiel de séduction. N'est-ce pas précisément cela qui inquiète les hommes ?

AVEZ-VOUS SEULEMENT PEUR DE VIEILLIR ?

Physiquement, sexuellement, intellectuellement, que vous approchiez des 40 ou des 50 ans, vous n'en êtes pas au stade de la vieillesse. Pourtant, vous le redoutez ou vous l'anticipez.

Les quadra et les quinqua

Faut-il faire absolument une distinction entre quadragénaires et quinquagénaires ? Faut-il séparer, comme le font certains [26], l'« équilibre de la quarantaine » et la « maturité de la cinquantaine » ? Certes, les petits signes révélateurs d'une certaine involution percent à peine chez les premiers alors qu'ils commencent, pour les seconds, à se manifester plus clairement, en tout cas suffisamment pour qu'on parle de la « révolte psychologique [27] » de la cinquantaine. Toutefois, le distinguo semble un peu théorique, car la maturité physique et physiologique, tout comme la sénescence, évolue sur un mode individuel et par étapes progressives, variables selon chacun d'entre nous. Même sur le plan psychologique, l'évolution est très dissemblable : certains ressentent dès 30 ans un sentiment de finitude que d'autres ne connaissent que dix ou quinze ans plus tard.

Il est vrai qu'autour de vous tout vous indique que vous allez dans cette direction. La publicité se charge de vous le rappeler et vous promet de prolonger votre jeunesse. Votre banquier vous sollicite pour épargner en vue de la retraite... Vous, vous savez bien que vous n'êtes pas vieux, mais vous prenez conscience que l'avenir n'est pas illimité. Vous ne pouvez plus remettre vos projets à plus tard avec autant d'insouciance. Sera-t-il encore temps ? D'un autre côté, vous sentez aussi qu'il vous reste beaucoup de projets à réaliser et d'expériences à vivre. Selon votre caractère, vous aurez alors tendance à baisser les bras ou à retrousser vos manches.

Seulement, vous n'êtes plus seul sur la route, vous avez des responsabilités, quelque chose a changé depuis vos 20 ans, vous devez compter avec votre passé et il se peut que vous vous sentiez moins libre de vos décisions, voire prisonnier de ce que vous avez construit. Ce dernier point concourt aussi à votre impression que l'avenir est désormais circonscrit...

Chapitre IV

Couple, enfants, parents, travail
Entre réussite et rêves d'évasion

L'adulte entre 40 et 50 ans est en mesure d'évaluer ses accomplissements dans différents domaines : famille, travail, réseau relationnel et amical. À l'heure du bilan surgit l'angoisse de performance avec ses inévitables questions : « Ai-je mené à bien ma carrière professionnelle ? » « Ai-je réalisé ce que je voulais ? » « Combien de projets me reste-t-il à mener ? » ou bien encore : « En quoi ai-je échoué ? »

L'INCOMPLÉTUDE DE LA RÉUSSITE

Une réussite, quelle qu'elle soit, prend parfois des accents d'incomplétude car elle se limite à un domaine particulier et ne concerne pas la personne tout entière. On peut, par exemple, malgré une carrière exceptionnelle, se rendre compte que son couple est un désert ou qu'on est passé à côté de toute vie de famille. À l'inverse, on peut aussi, malgré l'épanouissement de ses enfants, regretter amèrement d'avoir sacrifié sa carrière et s'inquiéter pour son propre avenir maintenant qu'ils volent de leurs propres ailes.

L'interrogation autour de la notion de réussite occupe une place centrale au milieu de la vie. L'autre caractéristique de cette période est l'apparition d'un sentiment très différent, qui peut paraître antagoniste : celui d'enfermement. Qui, au midi de sa vie, n'a pas rêvé un jour de tout quitter, de fuir les horaires, les factures, le téléphone ? Partir en bateau, travailler la terre, faire de la musique, prendre le temps de vivre : à chacun son rêve d'aventure ou d'une vie différente.

L'hebdomadaire *Le Nouvel Observateur* a interrogé une dizaine de personnalités reconnues dans leur domaine, qu'il s'agisse de politique, de justice, d'architecture ou de sport. Quadra ou quinquagénaires, ils avaient tous réfléchi à une nouvelle existence alors même que la leur semblait couronnée par le succès. Comme Jeannie Longo, Hubert Reeves ou Christian Cabrol, le plus souvent, ils rêvaient prioritairement de s'installer dans des endroits calmes, d'écrire, de donner libre cours à leur imagination, de partir au bout du monde ou encore de réaliser un rêve d'enfant[1].

Ce n'est pas seulement des prisons du quotidien que l'on souhaiterait s'échapper. C'est aussi du regard des autres, de certains liens familiaux, des désirs réels ou supposés de nos parents, enfin de nos prisons intérieures qui se manifestent à travers des choix qui n'ont peut-être pas été si libres qu'il y paraissait. « Ai-je vraiment fait les bons choix ? » se demande-t-on avec anxiété. Cette question essentielle à mi-vie peut concerner un secteur particulier de la vie ou plusieurs à la fois.

DE LA LUNE DE MIEL À LA PRISON CONJUGALE

Le midi de la vie pourrait être, et il l'est parfois, une époque extrêmement épanouissante pour le couple puisque chacun des partenaires est désormais riche de toutes ses expériences passées. Ce pourrait être, aussi, une période d'harmonie, de sérénité et de retrouvailles, si l'éducation des enfants a été menée à bien et que les principaux objectifs professionnels sont désormais remplis. Pourtant, tous les thérapeutes de couple vous le diront, les difficultés conjugales, loin de décroître, ont plutôt tendance à se multiplier entre 40 et 50 ans. Quand les conjoints n'ont pas évolué dans le même sens, le couple peut même devenir une zone de turbulences particulièrement fortes.

Par-delà les tentations érotiques qui sont souvent un moyen de se rassurer et d'exister pour quelqu'un d'autre, c'est la question du choix et du lieu conjugal qui se trouve posée. C'est si vrai que la CMV, si elle n'est pas au départ une crise de couple, le devient souvent dans un deuxième temps.

La nostalgie de l'Éden

Il y a ces situations de conflit torpide, d'insatisfaction conjugale, de doute mêlé de tristesse, où l'un cherche, après plusieurs années de vie commune, une connivence disparue, tandis que l'autre s'éloigne et devient un étranger. Le temps de la lune de miel est à des années-lumière, et celui, ou celle, que l'on avait choisi n'est plus le même. L'amour a laissé place à l'habitude ou à l'indifférence.

Alors qu'entre 30 et 40 ans le couple organise son temps autour d'un objectif de productivité dans différents domaines, il peut difficilement éviter entre 40 et 55 ans, parfois plus tôt, parfois plus tard, de dresser un bilan. Une sorte d'arrêt sur image survient, qui risque de générer une période d'instabilité, où crise individuelle et crise conjugale interfèrent.

Usure + angoisse : un mélange explosif pour le couple

Un couple évolue, « s'use » avec le temps et les aménagements qu'imposent les différentes étapes de la vie : changements liés aux enfants, modifications dues aux trajectoires professionnelles, déménagements, problèmes de santé, etc. Néanmoins, le midi de la vie, outre le fait qu'il correspond souvent à plusieurs changements, effectifs ou en perspective, a ceci de spécifique que la confrontation au temps, pour chacun des partenaires, se fait sentir de façon plus aiguë et plus angoissante.

Le regret du passé réveille ainsi le mythe du paradis conjugal éternel, auquel on avait naïvement souscrit et dans lequel s'exprime aussi la nostalgie de l'insouciance du célibat ou de l'adolescence. Ainsi, Georges, 45 ans.

Enfermé dans son couple où il ne retrouve plus l'étincelle des premières années, Georges se surprend à rêver de plus en plus souvent à son amour de jeunesse, une étudiante brillante avec laquelle il a partagé des années heureuses à l'université. « La suite de nos études nous a d'abord éloignés, et puis nous étions de milieux sociaux différents, ma famille ne l'acceptait pas... Depuis près d'un an, je me demande ce que serait la vie avec elle, si ce serait moins terne... J'ai même trouvé ses coordonnées sur Internet, mais j'hésite à la contacter. J'ai peur de me faire encore plus mal, j'ai peur aussi d'être déçu. »

Cet éternel paradis, certains couples tentent de le préserver en choisissant de ne pas avoir d'enfant. De là à croire qu'ils sont protégés de toute crise...

La tentation et les pièges de la nouveauté

La nostalgie, l'ennui, le besoin d'exister par soi-même et non plus à travers son couple constituent un terrain propice à l'aventure extraconjugale. S'il est difficile de valider les résultats des études sur le sujet, il semble néanmoins que l'infidélité devienne plus fréquente à mesure qu'on approche de la quarantaine. Celle-ci représente, de fait, pour certains, un excellent antidote pour échapper au sentiment d'oppression du midi de la vie. C'est le quadragénaire sémillant, rajeuni dans son allure extérieure, affichant sa passion amoureuse pour une jeune fille, mais les femmes ne sont pas en reste, bien qu'elles soient en général plus discrètes.

Si l'aventure a parfois le mérite d'être épanouissante, gratifiante et rassurante, elle peut aussi se révéler faussement libératrice et venir finalement resserrer les liens dont on se sentait prisonnier. C'est ce que nous allons voir à travers les expériences contrastées de Pascale et de Marie.

Pour Pascale, 46 ans, maman d'un petit garçon de 7 ans, la crise était déjà en cours : « Je m'ennuyais ferme dans une vie qui me paraissait trop étriquée. Pas de problème particulier, mais j'étouffais dans mon couple... On ne peut pas dire que j'ai provoqué l'aventure, mais j'étais mûre pour ça, j'avais besoin de changement... J'avais de plus en plus l'impression de vivre comme mes parents... Ma liaison avec mon ami n'a duré que quelques mois, mais je me suis sentie revivre, exister à nouveau comme une amoureuse. Le retour au quotidien a été difficile. Mes relations avec celui qui est mon compagnon depuis dix ans aussi. Mais j'ai repris confiance en moi... »

Marie, 43 ans, a mis fin très douloureusement à une liaison amoureuse qui durait depuis près d'un an, première « escapade » après vingt ans de mariage : « Je menais une vie somme toute confortable. Nos enfants ne posent pas de problèmes, mon métier n'est pas désagréable, mais je m'ennuyais dans mon couple. C'est cette rencontre qui m'en a fait prendre conscience... J'ai eu envie de partir, mais je n'ai pas franchi le cap... Aujourd'hui, c'est pire. Je culpabilise face à mon mari à qui je n'ai rien de grave à reprocher, mais je suis tout le temps triste... Mon ami me manque encore... Ma vie ressemble à une prison dont je ne sais pas comment sortir. »

En choisissant la voie de la raison, Marie se retrouve confrontée à une double souffrance, celle de la culpabilité, qui la renvoie à un système éducatif très strict, et celle d'une évaluation beaucoup plus négative qu'auparavant de son existence. L'aventure a joué ici le rôle de révélateur d'une situation de crise débutante, et pour laquelle plusieurs entretiens psychothérapiques se révéleront bénéfiques.

Quand le couple vole en éclats

Mal dans son existence, en proie au désarroi, le quadragénaire en crise trouve parfois en son partenaire conjugal l'exutoire de son mal-être. C'est lui le « mauvais objet », le bouc émissaire, l'unique responsable de toutes les insatisfactions ressenties. Dans ce cas, le couple devient un excellent catalyseur de conflits, un lieu idéal de révolte, une situation qu'il faut contester et éventuellement détruire. Cette notion de rupture est d'ailleurs inscrite dans l'étymologie même du mot crise, mais il faut savoir qu'à travers l'autre, et le couple qu'on avait construit ensemble, c'est aussi une partie de soi-même et de ses propres choix, qu'on rejette : tout un pan de sa propre existence se trouve aussi renié.

Lorsque Hervé a annoncé à Sophie, le jour de leur quinzième anniversaire de mariage, qu'il la quittait, les explications ont, dans un premier temps, été aussi lapidaires que succinctes : « Je ne supporte plus notre vie... J'étouffe avec toi... J'ai besoin de me retrouver seul. »

Passé quelques semaines, les accusations sont arrivées en avalanche. Hervé lui a reproché d'avoir toujours été trop préoccupée par les enfants et par les problèmes d'organisation matérielle, d'être incapable de fantaisie et d'ouverture aux autres, de faire régner dans la maison une atmosphère irrespirable... Pire encore, il lui a avoué ne pas l'avoir vraiment choisie et s'être marié pour épouser le désir de ses parents — son père, un homme autoritaire et dominateur, est décédé un an auparavant.

Ce que Sophie avait perçu depuis un an comme une période de tensions passagères est devenu d'un seul coup une accusation en règle contre toute une vie commune. Dans le même temps, Hervé s'est éloigné aussi de leurs amis communs et même de ses propres amis. Après de longues ruminations sur son incapacité à apporter le bonheur autour d'elle, Sophie a peu à peu compris qu'elle n'était pas seule responsable du mal-être de son mari. Elle a mesuré qu'il ne rompait pas seulement avec elle, mais aussi avec une partie de lui-même, peut-être celle que la tyrannie de son père, désormais décédé, lui avait dictée.

Certains couples sont-ils plus exposés que d'autres ?

Même s'il est habituel de le faire, parler « du » couple de manière univoque est impossible, tant la spécificité de chacun est unique. Le couple est, en effet, le fruit de liens extrêmement complexes entre deux individus qui se sont choisis, plus ou moins consciemment, pour des raisons tout aussi complexes : quête d'amour et sentiment de l'avoir trouvé ; peur d'être seul ; besoin de sécurité affective ; résolution de conflits personnels ; désir de pallier ses propres insuffisances... En outre, ce que les partenaires apportent au couple est éminemment variable : certains vont surinvestir la vie à deux et d'autres l'envisager comme un accomplissement de plus dans la trajectoire de leur vie. Enfin, les renoncements personnels, inévitables et en principe mutuels, connaissent des équilibres bien spécifiques. Toutefois, et bien qu'il soit délicat d'établir une classification, on peut néanmoins examiner différents modes de fonctionnement conjugal afin de mieux cerner ceux qui risquent de souffrir davantage au moment de la CMV.

— *Le couple « symbiotique »*. Il se caractérise par la relation fusionnelle entre les deux partenaires, chacun s'effaçant au profit de la dyade. La symbiose peut se prolonger longtemps dans le bonheur, mais elle a pour corollaire une étroite dépendance, susceptible de devenir insupportable en cas de remise en question personnelle au milieu de la vie.

La rupture est une évolution éventuelle, et la violence a toutes les chances d'être à la mesure de l'intensité fusionnelle. L'instauration de rapports de force et de domination en est une autre, non moins douloureuse, parfois sur un mode sado-masochique, l'un faisant payer à l'autre la rupture du contrat tacite et la prise d'indépendance.

Michel et Anne-Marie, couple sans enfant, travaillant ensemble depuis vingt ans, se déchirent violemment depuis qu'Anne-Marie a décidé, il y a deux ans, après la mort de sa mère, de développer avec sa sœur une association de type caritatif. Michel, qui a toujours eu dans le couple une position dominante, ne supporte pas cette activité, dont il se sent exclu, et qu'il ressent comme un abandon. De mari dominateur, il devient d'abord tyran domestique, puis, devant l'inefficacité de son attitude, multiplie les tentatives d'autolyse, assorties de messages culpabilisants à l'attention d'Anne-Marie, continuant par là d'exercer sur elle sa domination désormais morbide.

— *Le couple « associatif »*. Il peut se comparer à une petite entreprise, organisée autour d'un objectif commun, à la fois matériel et social, mais sans communication personnelle profonde. Dans ce type de configuration, le milieu de la vie risque de provoquer l'éloignement progressif dans une relation de plus en plus distante et dénuée d'affect, même si l'on garde une façade sociale pour préserver les apparences.

Anne-Sophie, qui a toujours souffert du manque d'affection de ses parents, bientôt quinquagénaires, les décrit comme « deux actionnaires d'une société financièrement florissante » : « Je n'ai jamais vu entre eux le moindre élan de tendresse, raconte-t-elle, et je les vois désormais s'éloigner chaque jour davantage. Mais ils ne se sépareront pas, ils continueront jusqu'au bout à se comporter comme deux gestionnaires. »

— *Le couple « paritaire »*. Il a établi, d'emblée ou dans un deuxième temps, une distance plus souple, permettant à chacun de s'épanouir dans des domaines personnels différents, tout en entretenant un échange mutuel. Même s'il n'est pas à l'abri d'une crise, ce couple est sans doute le plus à même de prolonger une harmonie relationnelle, malgré les remises en question de l'un ou de l'autre.

Couple « symbiotique »	Couple « associatif »	Couple « paritaire »
Presque tout est en commun, même le travail dans certains cas. Activités communes. Partage des mêmes idées, des mêmes valeurs.	Est commun ce qui relève du financier et connote le statut social.	Sont communs des intérêts matériels, une partie des amis, une partie des activités, une partie des idées.
Aucun des deux n'a d'amis ou d'activité importante indépendamment de l'autre. Tendance à se suffire l'un l'autre. Éloignement mal supporté.	Chacun vit de son côté sa vie amicale, relationnelle ou amoureuse. Activités sociales ou mondaines communes. Peu d'échanges seul à seul. Distance affective et amoureuse.	Chacun a des secteurs d'indépendance (loisirs, amis, relations) et d'autres communs. Besoin de se retrouver ensemble et d'échanger seul à seul. Éloignement supporté et rendu enrichissant.
Évolution Peut demeurer longtemps, parfois toute la vie, dans la dépendance. Velléités d'indépendance ou de changement individuel de l'autre mal supportées. Crise dramatique si l'un des partenaires rompt le « contrat » de dépendance.	*Évolution* Peut durer longtemps. Risque d'éloignement progressif, spontanément ou à la faveur d'une rencontre qui attire le partenaire vers des intérêts différents.	*Évolution* Le risque de crise chez l'un ou l'autre n'est pas exclu. Chacun des partenaires est capable, avec ses limites, d'accepter que l'autre ait des divergences d'évolution, de s'y adapter et de passer le cap.

Trois profils de couple et leur évolution.

VOUS ET VOS ENFANTS

Autour du midi de la vie, les adultes sont confrontés à des changements importants dans leur vie de parents, qu'il s'agisse de la survenue de l'adolescence, du départ d'enfants devenus grands ou encore de l'arrivée d'un dernier-né... Quel que soit le scénario commence une période de transition qui menace les fondements de l'identité parentale.

Adolescence et crise parentale

Pour la grande majorité des parents, l'adolescence de leur enfant est un passage éprouvant, tant les changements y sont brutaux et pleins de contradictions. Au-delà du conflit, quasi inévitable, c'est aussi pour les parents une nouvelle occasion de deuils : si vous avez, ou avez eu des enfants adolescents, vous savez qu'il faut passer par des renoncements, sources de nostalgie et de remises en question.

— *Vous vous demandez où est parti votre enfant.* Il n'y a pas si longtemps il était si petit. Désormais, toute une partie de votre investissement est inutile et appelée à disparaître : vos joies lorsque vous étiez son compagnon de jeu ou son confident protecteur, vos émerveillements devant ses prouesses, vos peines quand il était malheureux, vos inquiétudes aussi et toute cette belle énergie que vous déployiez pour l'accompagner au mieux en oubliant parfois vos soucis quotidiens... En même temps, contemplant avec nostalgie et émotion vos albums de photos, vous mesurez votre propre vieillissement et le temps passé.

Claire, qui travaille dans une agence de tourisme, a présenté à 48 ans un premier épisode dépressif lorsque son fils aîné est parti préparer une grande école dans une autre ville. « J'ai eu l'impression d'être mutilée, j'ai anticipé le départ du second tout en redoutant de trop l'accaparer. J'ai soudain mesuré l'importance de la place qu'ils ont dans ma vie, et cette vie m'est apparue très triste. Pendant plusieurs mois, mon travail qui m'avait toujours motivée est devenu très pesant. »

Quand la nostalgie devient pathologie

Cette expérience de perte liée à l'émancipation des enfants entraîne parfois un véritable mouvement dépressif, dénommé par les Anglo-Saxons « syndrome du nid vide » (*Empty Nest Syndrome*) et en France « nostalgie maternelle pathologique[2] » (NMP). Principalement décrit chez les femmes qui ont surinvesti leur fonction maternelle et sont confrontées au sentiment de vide existentiel au moment du départ des enfants hors de la maison, ce phénomène n'atteint pas que les mères au foyer. Les femmes qui travaillent n'y échappent pas forcément. Pas plus que les pères pour lesquels on peut parler de « nostalgie paternelle pathologique ».

Marc, ingénieur de 49 ans qui a perdu très tôt ses parents, a ressenti des sentiments analogues lorsque son fils aîné est parti. « Nous étions très proches, nous le sommes toujours, mais il vit sa vie avec ses copains, et c'est normal, je suis un vieux. Il me manque et c'est presque physique. Mon fils cadet n'a pas encore passé son bac, mais je sais bien qu'il partira aussi, c'est comme si c'était demain. »

— *Il vous faut renoncer à l'enfant idéal* ou, plus exactement, à l'idéal que vous aviez projeté sur votre enfant, aux projets que vous aviez élaborés ensemble : il s'oriente différemment sur le plan scolaire ou professionnel, par choix ou par manque de capacités ; il n'excelle pas en sport malgré vos exhortations ; vous le rêviez footballeur professionnel ou chef d'orchestre, et il décide d'abandonner définitivement ses crampons ou ses cours de musique... Pour peu qu'il s'accoutre et se coiffe comme un extraterrestre, voilà vos rêves brisés par l'irruption quotidienne d'une réalité parfois difficile à supporter.

« *Conflits de famille* »

Avec sa verve habituelle, la romancière Alison Lurie dresse dans ce roman un terrible tableau de la vie des parents confrontés à cette période difficile [3]. Brian Tate, brillant universitaire du New Hampshire, est en pleine crise du milieu de la vie, version « démon de midi ». Erica, sa femme, songe avec tristesse à ce que sont devenus leurs enfants, Jeffrey et Mathilda, autrefois « bambins charmants, enfants intelligents, vifs, affectueux. Il y a des albums de photos, des liasses entières de dessins, de rédactions et de bulletins scolaires pour en témoigner... Ils sont devenus impolis, grossiers, égoïstes, insolents, mauvais, épais et ils ont grandi. Elle se serait cru dans un mauvais rêve, à la tête d'une pension de famille où ses enfants, qu'elle avait tant aimés, se muaient en affreux pensionnaires — des pensionnaires qui ne payaient pas et qu'on ne pouvait pas mettre à la porte... ».

Brian, de son côté, fait des comparaisons militaires avec la guerre en identifiant sans hésiter la maison au territoire occupé. « Jeffrey et Mathilda ont pris le pouvoir progressivement, faisant entrer des troupes et du matériel, épuisant les ressources naturelles, et détruisant la culture locale. »

Par moments, comme certains parents d'adolescents, il en arrive à des pensées monstrueusement hostiles : « Autant qu'il sache, ils ne volent pas de voiture, ne font pas sauter d'immeubles à la bombe et ne se droguent pas... ils ne se sont pas encore fait arrêter par la police ou engrosser. Quelquefois, Brian le regrette ; car au moins ils seraient ailleurs — en prison ou dans un foyer pour filles mères — et ils seraient pris en charge par quelqu'un d'autre. »

— *Vous avez l'impression que votre enfant ne vous aime plus*. Il vous prive maintenant de sa tendresse, vous offre en échange son mutisme ou ses onomatopées. Pire, il vous dénigre, conteste vos idées, s'oppose, voire adopte des comportements hostiles ou agressifs à votre égard. Vous voilà confronté à l'une des difficultés de cette période : vous n'êtes plus l'objet privilégié de ses choix ; il va chercher d'autres confidents, d'autres modèles, parfois très opposés à vous. En vous trouvant démodé ou vieux jeu, même si c'est humain, il vous renvoie là encore à votre vieillissement, alors que vous pensiez être « resté dans le coup ». Il vous pousse en arrière, vous allez bientôt faire partie des *has been*. Un cran au-dessus, et c'est la guerre. Il vous semble qu'il vous déteste, mais, de votre côté, vous vous posez la même question.

Désir, désir...

Les remaniements autour de la sexualité constituent un point fondamental dans la remise en question de l'identité de chacun : l'éclosion de la sexualité de l'adolescent provoque souvent chez le parent au midi de la vie un réveil émotionnel intense, qui lui rappelle sa propre adolescence. Il y a de la nostalgie, mais aussi de la rivalité. Certains n'hésitent pas à parler de jalousie, comme Claude Olievenstein : « L'élasticité de l'adolescent, écrit celui-ci, est l'objet du désir numéro un. En fait, personne ne regrette la naïveté du *teenager* ni même son éclat. Ce qui est regretté, c'est cette aisance, cette liberté du corps qui fait tout d'une manière naturelle, tel un jeune félin qui quitte la protection de sa mère. Dans ce regard de l'homme en passe de devenir vieux, il y a toute la jalousie du monde, il y a aussi toute la sexualité qui remonte par bouffées[4]. »

Il faut reconnaître que, dans la quasi-totalité des cas, les relations parents-adolescents sont plutôt conflictuelles. Les psychiatres et psychologues spécialisés dans cette tranche d'âge s'accordent néanmoins pour dire que le conflit en fait même partie intégrante et qu'il est constructif jusque dans une certaine mesure.

On connaît mieux aujourd'hui l'importance des relations familiales dans l'organisation du conflit de l'adolescence, et l'évaluation de l'environnement familial participe désormais de l'approche clinique. De plus en plus de spécialistes considèrent actuellement que ce conflit, lorsqu'il atteint une certaine intensité, témoigne tout autant de la difficulté des parents à surmonter les renoncements impliqués dans l'émancipation de l'enfant que de la difficulté de l'adolescent à réaliser son autonomisation. Daniel Marcelli et Alain Braconnier font notamment une analogie éclairante entre la « crise parentale » et la « crise du milieu de la vie[5] ». Selon eux, dans l'un et l'autre cas, se répondent en écho et se potentialisent réciproquement deux crises, celle de l'adolescent, en pleine transformation corporelle et explosion pulsionnelle, et celle de l'adulte, angoissé par le temps qui passe et la baisse de son désir.

Ce réveil pulsionnel et les tentatives pour le maîtriser aboutissent à toute une variété de comportements parentaux, qui vont de la permissivité exagérée aux attitudes les plus sévères. Et il y a sans doute autant d'angoisse chez telle mère qui fait irruption dans la vie intime de son enfant sous prétexte de complicité que chez tel autre parent qui exerce un contrôle répressif sur toutes les relations ou sorties de son adolescent, devenu rival. Le résultat n'est meilleur dans aucun de ces cas extrêmes, car l'adolescent a besoin de se démarquer et même de déprécier ses parents — ce qui ne veut pas dire pour autant détruire leur modèle — pour trouver sa propre voie. Comme le disait Anna Freud, fille de son illustre père, elle-même reconnue pour ses travaux sur la psychopathologie de l'enfant et de l'adolescent : « Il faut laisser à l'adolescent le temps et la liberté de trouver lui-même son propre chemin. Ce sont plutôt les parents qui ont besoin d'aide et de conseils pour le supporter. »

Patrice, 45 ans, divorcé depuis quatre ans, a changé d'attitude avec sa fille aînée lorsque celle-ci a eu un petit ami « sérieux ». « Jusque-là nous étions très proches, m'explique-t-il. Certains trouvaient même nos relations équivoques, j'écoutais son avis sur mes conquêtes. Je n'ai pas supporté sa relation avec son ami : je surveillais ses sorties, je suis devenu interdicteur, nous sommes entrés en conflit, elle paraissait me rejeter... Elle m'a reproché d'être contradictoire, de la traiter en enfant alors que je lui parlais jusque-là comme à une confidente. C'est elle qui avait raison. Aujourd'hui, j'accepte mieux leur relation, les choses vont mieux entre nous et, conséquence ou coïncidence, j'ai retrouvé de mon côté un équilibre plus stable avec une femme plus jeune que moi. »

Accepter de se laisser dépasser par son adolescent est l'un des enjeux du milieu de la vie : cela signifie perdre de sa jeunesse, de son potentiel de séduction. C'est aussi revivre son adolescence, et sans doute la façon dont celle-ci a été vécue conditionne-t-elle cette acceptation.

L'enfant de la quarantaine

Parfois, c'est le premier enfant, parfois le dernier. Depuis la généralisation de la contraception autour des années 1960, les femmes occidentales peuvent davantage programmer leurs maternités, et les grossesses de la quarantaine sont plus souvent le fruit d'un choix délibéré que d'un « accident ».

La longueur des études, le choix de faire carrière — une Française sur six dit avoir privilégié pour un temps sa carrière plutôt que sa maternité[6] — et les progrès médicaux font que les femmes retardent leur maternité. Sans compter que les divorces et les remariages confrontent les obstétriciens à des situations nouvelles, par exemple, des femmes déjà mères qui autour de 40 ans refont leur vie avec un homme plus jeune qui, lui, n'a pas encore d'enfant et en voudrait un.

Même très suivies, ces grossesses ne sont pas sans risque sur le plan médical, et parce que le taux de fertilité diminue quasiment de moitié entre 25 et 40 ans, elles nécessitent souvent des techniques d'« assistance médicale à la procréation », qu'il s'agisse d'insémination artificielle ou de fécondation *in vitro*. La médiatisation du phénomène fait croire que tout est possible, mais, comme le disent les gynécologues, 40 ans, c'est « jeune pour la vie, mais âgé pour la reproduction[7] ». De ce fait, la question d'une première ou d'une dernière grossesse tardive peut, d'une certaine façon, permettre de défier le temps qui passe.

Les enfants de la CMV...

La fréquence des grossesses tardives est un phénomène nouveau dans les pays occidentaux. Les Françaises font plus d'enfants, mais le premier enfant arrive de plus en plus tard, et le taux de grossesses tardives s'accroît.

Les statistiques le montrent. En dix ans, entre 1988 et 1998, le nombre de naissances chez les mères de plus de 40 ans a doublé, et cette augmentation est encore plus importante chez les 35-39 ans. Sur l'ensemble des grossesses, entre 1981 et 1995, la proportion des 30-39 ans est passée de 24,1 à 38,1 % tandis que, pour les moins de 25 ans, elle a diminué de 38,5 % à 21,4 %[8].

Au-delà de cette limite, votre ticket n'est plus valable... Quelques mois après son quarantième anniversaire, Christine a entendu résonner le titre du livre de Romain Gary dans sa tête, comme un « dernier appel avant fermeture des portes », dit-elle. Jusque-là, épanouie par une vie professionnelle brillante qui l'amenait à voyager à travers le monde, elle ne se posait pas vraiment la question d'un enfant. Celle-ci est venue presque dans l'urgence : « Je peux encore progresser professionnellement, avoue Christine, mais tout à coup, cela m'a paru égoïste et vide de sens. Je me suis projetée dans vingt ans, auréolée de mon pouvoir professionnel, mais sans enfant et sans avenir. » Pour d'autres femmes déjà mères, c'est le syndrome du nid vide qui menace quand les aînés prennent leur indépendance et que leur départ devient menaçant.

Anne, 38 ans, mère de quatre enfants entre 16 et 6 ans, attend ainsi le cinquième : « Mon dernier est déjà grand... J'aurai bientôt 40 ans, il me reste encore un peu de temps. Je pourrais travailler, mais ce qui me manque, c'est un bébé à la maison. Je viens moi-même d'une famille nombreuse... En voyant mes aînés, je me sens vieillir. Cette grossesse me donne l'impression de rester jeune. Après, il faudra bien que j'accepte de vieillir... »

Quel que soit l'âge, il y a dans la question du désir d'enfant une complexité extrêmement subtile. Nos enfants donnent du sens à nos vies, nous aident à nous projeter dans l'avenir — malgré nous, parfois. Ils nous donnent aussi l'illusion narcissique de nous prolonger, sans parler de ce pouvoir féminin unique de donner la vie que les hommes aimeraient posséder...

La maternité est pour certaines une forme d'identité : « Je suis mère, donc je suis. » Elle peut l'être pour les mères d'enfant unique aussi bien que de famille nombreuse. Le moment où celle-ci menace de s'éteindre devient alors terrifiant et explique ce douloureux sentiment de vide existentiel et d'inutilité de la nostalgie maternelle pathologique.

Autre version, autre profil : Bénédicte, 39 ans, mère de cinq enfants, tous en bas âge. Elle a entendu parler de la crise du milieu de la vie, sujet qui l'intéresse à titre personnel. « C'est ce qui m'est arrivé. Je l'ai résolue en faisant mon cinquième enfant. J'avais tout réussi, un métier, ma vie de famille... Je ne voyais plus ce que j'allais faire, ce que j'allais pouvoir réussir. Maintenant, je suis apaisée. »

L'enfant tardif peut donner le sentiment de prolonger la jeunesse, mais il peut aussi, dans le cas d'un premier-né, déstabiliser un équilibre. C'est l'enfant qui perturbe le couple, les contraintes liées au petit âge empiétant sur la liberté du couple et de ses deux partenaires. C'est ce qui est arrivé à Jacques, à 41 ans, après la naissance de son premier enfant.

Après quinze ans de vie commune, sa femme a voulu, contrairement à ce qu'elle souhaitait jusque-là, avoir un enfant. « Moi, j'en avais eu envie au début, dit Jacques. Là, en revanche, ça m'était difficile à concevoir, mais j'ai accepté. Quand il a été là, je me suis senti à la fois piégé et abandonné. Je ne trouvais plus ma place, ni celle de père ni celle de mari. » Il faudra plusieurs mois à Jacques pour retrouver des repères et un rôle dans cette nouvelle constellation de son couple.

VOUS ET VOS PARENTS

L'adulte au midi de la vie n'est pas seulement en proie à son propre vieillissement. Il doit aussi affronter celui de ses parents quand ils vivent toujours. C'est à la fois une charge et une douleur : avant de devenir leur orphelin, il faut parfois apprendre à être le parent de ses parents.

Quand ils sont en bonne santé, tout peut aller assez bien, et on peut même voir apparaître de nouvelles relations, des rapprochements ou des complicités inattendues : le midi de la vie est parfois le moment où l'on comprend pour la première fois ses parents après avoir à son tour traversé les mêmes étapes. Dans d'autres cas, c'est l'inverse : les caractères s'exacerbent, et certains rites deviennent insupportables.

« Tous les dimanches, j'étais obligée d'organiser ces repas d'ancêtres abominables, me raconte ainsi une patiente de 53 ans à propos de sa mère et de sa belle-mère, deux femmes autoritaires qui font des concours de récriminations. Ma mère a toujours été tyrannique. Maintenant que mes enfants ont fait leur vie, je me retrouve confrontée à elle. Depuis quelques mois seulement j'ai pris l'habitude de partir en week-end avec mon mari. C'est un drame. À mon retour, elle redouble d'appels et d'exigence. Mais ça m'est presque égal, il était temps que je me révolte. »

Les choses se gâtent tout à fait dès lors que les parents tombent malades ou perdent leur autonomie : les soins à apporter, la détérioration mentale à supporter, l'organisation de l'aide quotidienne, la gestion des biens ou des affaires — sources de fréquents conflits entre frères et sœurs — sont autant de fardeaux à porter qui entachent tristement cette période de la vie. Il s'agit d'une tâche lourde, à la fois matérielle, sociale et psychologique, restreignant parfois le nouvel espace de liberté acquis avec l'autonomie des enfants.

L'impression d'une charge difficile à porter se double en général de sentiments douloureux. La souffrance de voir ses parents se dégrader physiquement ou mentalement fait dire à certains adultes qu'ils auraient préféré les voir mourir plus jeunes. Autre moment très pénible : celui où il faut se résoudre à « placer » le parent resté seul, ou l'un des deux, en maison de retraite. Cette décision s'accompagne à des degrés divers d'une culpabilité filiale ravivée à chaque visite. Dans *Les Nouveaux Monstres*, film italien à l'humour d'une noirceur absolue, l'un des sketches fait revivre ce moment connu de beaucoup : l'homme qui emmène sa mère promet de revenir la chercher, évitant à tout prix d'annoncer le caractère définitif du voyage. Or, malgré le développement des moyens dans ce domaine, certaines maisons, disons-le franchement, restent de véritables mouroirs d'où l'on repart, après chaque passage, le cœur serré.

Enfin, quelquefois, la principale détresse reste l'idée de devoir perdre ses parents, et l'on peut voir dans certaines dépressions chez l'adulte de véritables deuils anticipés. Après leur vieillissement vient leur décès réel, qui n'est pas moins douloureux parce qu'il survient à un âge « raisonnable ».

Marie-Claire, 42 ans, qui a perdu sa mère lorsqu'elle était adolescente et vient de perdre son père, compare les deux tristesses : « Avec ma mère, je pense toujours à ce que nous n'avons pas pu faire ensemble ; avec mon père, je repense à tout ce que nous avons fait ensemble. » La difficulté à surmonter ce deuil dépend beaucoup des relations et du lien affectif entretenu avec le parent décédé. Pour autant, il n'est pas simple lorsque les relations ont été conflictuelles : tout un cortège de regrets, de culpabilité, de sensation de gâchis et de solitude peut apparaître.

Néanmoins, globalement, on peut dire que plus cette relation a été proche et tissée de dépendance réciproque, plus le moment de la disparition est douloureux. Voici l'exemple de Françoise, 55 ans.

Après de longues années de soins quotidiens apportés le soir, à la fin de lourdes journées de travail, et le week-end, Françoise a perdu sa mère il y a quelques mois. À la même période, elle a été remplacée à son poste par une collègue moins diplômée mais plus jeune, et reléguée à des fonctions de subalterne. « Au début j'ai été soulagée, je ne pouvais plus supporter de la voir dans cet état, et moi-même je n'en pouvais plus, je passais presque tout mon temps libre avec elle. C'est maintenant que je ressens le vide et que je me sens seule. Avec mon mari, nous n'avons pas eu d'enfant, c'est surtout lui qui n'en voulait pas... Je suis la dernière de ma fratrie, ma mère m'a eue tard et je me souviens maintenant qu'elle me disait : "Toi, on t'a faite pour nous." C'est exactement ce qui s'est passé. En dehors de mon travail, je me suis consacrée à elle, on s'aimait trop finalement... Je me demande maintenant comment je vais organiser ma vie. C'est le vide de tous les côtés. »

PROFESSIONNELLEMENT, LE COMBAT N'EST PAS TERMINÉ

Le travail occupe désormais une place centrale dans la vie de chacun, au point de devenir une composante essentielle de l'identité personnelle et sociale. Le temps est loin où la richesse et le prestige étaient réservés aux rentiers et aux aristocrates qui n'avaient pas l'obligation de travailler[9, 10]. En deux siècles, le mérite a triomphé sur les privilèges de la naissance, et le travail est devenu à la fois un statut social et une raison de vivre. D'où le combat du demandeur d'emploi pour retrouver l'un et l'autre : la réussite sociale rime en général avec réussite professionnelle.

Entre fin de carrière précoce et « nouvelle naissance » sociale, la vie professionnelle n'échappe pas, toutefois, à une forme de bilan et à des remaniements quasi obligatoires. Pour ceux qui ont trop de travail, comme pour ceux qui en manquent ou n'en retirent aucune valorisation sociale, le poids du travail se fait sentir de plus en plus et devient, parfois, une véritable chape de plomb dans le ciel de la vie.

Inégalités de classe

L'existence de changements professionnels entre la quarantaine et la cinquantaine est devenue un sujet d'actualité. La situation sur ce plan varie notablement d'une catégorie professionnelle à l'autre. Selon son métier, on peut se sentir mis « sur la touche » ou, au contraire, donner enfin le meilleur de ses capacités, voire débuter une nouvelle carrière. Ainsi, les professions libérales ou les cadres supérieurs à « capital culturel » considèrent davantage qu'ils ont maintenu ou amélioré leur situation, alors que les ouvriers et employés estiment qu'ils ont été soumis dès la quarantaine à des changements négatifs et subis par rapport au personnel d'encadrement [11].

De nombreux ouvrages ont été consacrés à cet aspect du midi de la vie. Parmi eux, citons celui de Xavier Gaullier, *La Deuxième Carrière* [12], qui traite de ce thème de manière exhaustive sous l'angle social. Sur le plan professionnel, cette deuxième carrière revêt plusieurs aspects qui peuvent donner trois profils distincts.

Les drogués du travail

À la question : « Que faites-vous quand vous ne travaillez pas ? », l'écrivain Umberto Eco a, un jour, répondu par une autre interrogation : « Il y a quelque chose d'autre à faire ? » Le métier d'écrivain n'est peut-être pas une bonne illustration, tant il est lié intimement à la vie et à la créativité personnelle de celui qui l'exerce, mais beaucoup pourraient donner, avec ou sans humour, une réponse identique. Ce sont des *workaholics*, des drogués du travail. Pour eux, vivre sans travail ne s'envisage pas : leur métier, quelles qu'en soient les motivations, est leur principal moyen d'expression et d'exister.

Au midi de la vie, deux orientations principales se présentent à eux :

1. *Le rythme intense se maintient de façon inchangée.* Chercheurs, professeurs, médecins, avocats, hauts fonctionnaires continuent ainsi à publier des articles, rédiger des rapports ou organiser des congrès et des commissions. Ils deviennent chefs d'école ou leaders d'opinion. Sans doute ont-ils la chance d'exercer un métier intéressant, et le mérite de chercher à enrichir leurs connaissances et celles des générations plus jeunes : cela leur permet de durer, de rester dans la course, tout en y trouvant des sources de gratifications personnelles. À travers leurs activités intenses, ils réussissent, d'une certaine façon, leur deuxième carrière professionnelle.

Cela n'empêche pas certains de se retrouver prisonniers, à leur insu, de leur métier. Et pour un petit nombre, la course aux succès, le carriérisme jusqu'à des âges avancés, peut devenir caricature. « Paraître ou disparaître » pourrait être leur devise inconsciente, la seule solution qu'ils imaginent pour lutter contre le temps et dénier la mort. Les exemples ne manquent pas, en politique, dans les milieux universitaires où laisser la place semble un exercice difficile.

2. *Le travail ne procure plus assez de gratifications personnelles et déborde trop largement sur la vie privée.* C'est la caricature du cadre stressé, qui divorce ou soigne son infarctus. Après des années à travailler comme un forcené, à consacrer ses week-ends à ses dossiers, surgit, un jour ou l'autre, et souvent à la faveur d'un problème de santé, l'angoissante question du sens donné à la vie et celle de l'avenir.

Parmi cette deuxième catégorie de *workaholics*, on trouve des groupes professionnels dont la réussite sociale peut être confortable mais où différents indices témoignent de l'importance des difficultés rencontrées. Citons les artisans, les commerçants, les pharmaciens et, surtout, si l'on croit les études menées, les dentistes [13] ! Plusieurs éléments concourent notablement à la « ménopause du dentiste » (*sic !*) : le poids des remboursements des emprunts initiaux, l'enfermement dans le métier, l'isolement relatif dans le cabinet avec difficultés de la communication verbale, enfin l'évolution rapide des techniques entraînant parfois la crainte de l'incompétence.

Les précaires

Contrairement aux précédents, la prison dans laquelle ils se retrouvent enfermés se révèle sans grande ouverture. Ce sont tous ceux qui rencontrent un problème d'emploi difficile à surmonter : le salarié mis sur une voie de garage, soumis aux risques de restructuration et de licenciement ; l'ouvrier usé après une vie professionnelle sans perspectives ; le chômeur de longue durée. Le vécu d'échec prédomine, éventuellement associé à un sentiment de non-reconnaissance, voire d'exploitation.

Certains se battent tout de même, trouvent ou possèdent des revenus et des activités de remplacement. D'autres glissent vers la résignation qui peut s'étendre à tous les domaines de leur vie. Quelquefois, c'est à la faveur d'une maladie ou d'un accident. Les médecins connaissent bien ce type de patients qui, dans un contexte professionnel d'échec, commencent vers 45-50 ans une véritable carrière de malades. Qu'on les qualifie d'hypocondriaques ou de dépressifs chroniques, la maladie devient pour eux une nouvelle forme d'identité.

Les alternatifs

Ils décident en milieu de carrière de se reconvertir soit dans un autre travail, soit dans d'autres activités. Enfermés dans un métier qui ne les satisfait plus ou qu'ils estiment ne pas avoir vraiment choisi, ensevelis sous la routine, attirés par un changement de vie ou menant depuis longtemps un deuxième métier parallèle, ils tentent de s'orienter vers d'autres horizons. Avec cette reconversion, ils cherchent l'occasion d'inventer un nouveau mode de vie. L'insatisfaction est à l'origine de cette reconversion. Il faut, en outre, un mélange de courage, de goût du risque et des opportunités.

Nous avons tous autour de nous des exemples de cadres quittant leur entreprise pour monter la leur ou se lancer dans le vignoble et la production de vins, de médecins, pharmaciens, ingénieurs quittant leur clientèle ou leur poste pour devenir consultants en entreprise. Les premiers se sentent prisonniers des carcans administratifs et des lourdeurs de la hiérarchie, les autres ne peuvent plus supporter le poids des responsabilités. Dans cette catégorie des alternatifs pourraient se situer ceux qui ont intégré l'une des nouveautés de notre ère postindustrielle : la mobilité. Aux États-Unis, depuis longtemps, elle est un gage de progression dans les entreprises ; en France, le phénomène est récent.

À l'inverse, chez certains adultes, notamment ceux qui ont beaucoup voyagé pour leur métier, le besoin se fait sentir de trouver une nouvelle qualité de vie. Ce qui, il y a quelques années encore, était source de renouveau et d'enrichissement — découverte de régions, de pays, de cultures — devient pesant, pour soi-même et pour la famille qui suit à chaque déplacement. Se poser devient alors, pour eux, la vraie solution pour un changement notable.

La sphère professionnelle est donc, elle aussi, au midi de la vie une source potentielle de changements ou de remises en question. Dans bien des cas, la résignation ou l'acceptation apparaissent souvent comme la seule issue, surtout si les impératifs financiers — il est vrai que cette période correspond souvent au moment où il faut aider les enfants à financer leurs études ou à démarrer professionnellement — n'offrent pas d'autre possibilité. Certes, tout le monde n'a pas la chance de s'épanouir dans son travail, mais cette insatisfaction peut, justement, quelquefois aider à saisir une opportunité de renouvellement.

Chapitre V

L'âge adulte aujourd'hui

D'ordinaire, l'analyse psychologique du développement humain au cours des âges de la vie tient peu compte de la diversité des groupes sociaux et de l'évolution rapide des temps sociaux apportés par chaque génération. Il nous semble pourtant que le milieu de la vie et sa crise nécessitent, pour être compris à leur pleine mesure, d'être replacés dans le contexte qui caractérise notre société occidentale en ce début de XXIᵉ siècle. Les femmes et les hommes, par exemple, franchissent-ils cette étape de la même manière ? Ou encore certains milieux socio-professionnels sont-ils plus concernés que d'autres ? Ce chapitre tente d'apporter, sinon des certitudes, du moins des éléments de réponse.

UNE SOCIÉTÉ DE LA LONGÉVITÉ

Le vieillissement des populations n'est plus à démontrer. L'espérance de vie moyenne pour un Français est passée de 36 ans en 1880 à 50 ans en 1900, puis à 72 ans en 2000 : non seulement elle a augmenté, mais elle a doublé en l'espace de deux siècles [1]. Cette majoration saisissante l'est encore plus pour les femmes puisqu'il est établi qu'elles vivent plus long-temps que les hommes.

Évidemment, l'allongement de l'espérance de vie modifie le calcul du milieu arithmétique de la vie. En revanche, il n'est pas certain qu'il ait une incidence sur le plan symbolique. Dante, s'il a commencé *La Divine Comédie* à 41 ans, est mort à 56 ans. Quant à Montaigne, qui a vécu cinquante-neuf ans, ce qui correspond pour le XVIᵉ siècle à une longue vie, il situait à 35 ans l'âge charnière à partir duquel la jeunesse commence à s'enfuir. « Quant à moi, écrit-il, je tiens pour certain que depuis cet âge, et mon esprit et mon corps ont plus diminué qu'augmenté et plus reculé qu'avancé. Il est possible qu'à ceux qui emploient bien le temps, la science et l'expérience crois-sent avec la vie ; mais la vivacité, la promptitude, la fermeté et autres parties bien plus nostres, plus importantes et essen-tielles se fanent et s'alanguissent... Depuis, d'un long traict de temps, je suis envieilli [2]. »

Peut-être Montaigne ferait-il aujourd'hui ce sombre bilan à 45 ans, mais, rapportée à l'allongement de la longévité actuelle, cette différence n'est pas vraiment significative, et le concept de milieu de la vie est avant tout, nous l'avons vu, symbolique. Du reste, l'homme n'a pas encore autant su pro-longer le temps « naturel » de la jeunesse qu'il n'a réussi à pro-longer le vieillissement. Ce qui a changé n'est pas la « date » du milieu de la vie, mais la perception, par les individus, de la trajectoire de leur vie, puisqu'ils peuvent se projeter beaucoup plus loin.

Société tétra-générationnelle et nouvel âge

Autrefois, une minorité d'hommes et de femmes seulement connaissaient la vieillesse ; de nos jours, celle-ci concerne la plupart d'entre nous. Le vieillissement ne marque plus la fin de l'existence ; il est devenu une période autonome du cycle de vie, où l'on retrouve les seniors, toujours plus nombreux, mais aussi les adultes « mûrs ».

Un marché en pleine expansion

En médecine, une spécialité s'est fortement développée depuis une trentaine d'années : la gériatrie, avec des services hospitalo-universitaires et des axes de recherche spécifiques. Dès les années 1980, les industriels se sont tournés vers les besoins de la vieillesse, puisqu'on rapporte une augmentation de 20 % du budget en vingt ans des laboratoires pharmaceutiques consacré à la recherche en gériatrie[3]. *Exit* le « baby-boom », voici le « baby-krach » et le « pépé-boom ». Parallèlement à la médecine se sont organisées les « universités du troisième âge » et toute une industrie destinée à améliorer la qualité de vie des personnes âgées — résidences, services du maintien à domicile, voyages, etc. La vieillesse fait partie désormais du système de production et de consommation.

En effet, l'augmentation de la longévité a eu des répercussions indéniables sur la composition de la tranche d'âge adulte. Une nouvelle subdivision est apparue avec, d'un côté, l'adulte jeune et, de l'autre, l'adulte « ni tout à fait jeune ni tout à fait vieux ». Cette recomposition a entraîné des conséquences sur les cycles de la famille et des générations. Alors qu'il y a un ou deux siècles, dans les sociétés traditionnelles,

les fils accédaient par exemple à la propriété de l'entreprise familiale à la mort du père et au moment où eux-mêmes fondaient une famille, les sociétés occidentales actuelles voient coexister en général trois, voire quatre générations, en tout cas souvent quatre tranches d'âge. Cela implique pour l'adulte une position centrale en termes de charges familiales, véritable pilier sur lequel s'appuient parfois trois générations. À la plus grande variété des échanges familiaux s'associent de plus lourdes tâches de deuil et de séparation, liées au départ des enfants et à la mort des parents, qui se cumulent souvent dans une même période. À l'inverse, on constate aussi une surcharge de responsabilités, filiales et parentales, quand ce n'est pas grand-parentales.

Un âge inavouable ?

Que penser d'une revue pour le milieu de la vie en France, comme il en existe pour les adolescents et les personnes âgées ? Le concept a démarré, mais n'a pas été suivi : en octobre 1985, l'hebdomadaire *Le Point* a lancé un nouveau mensuel, *Atouts*, « le magazine de la maturité ». Il y était question de faire découvrir « le second souffle », « le nouvel âge » et le « maturity boom »... *Atouts* a disparu au bout de quelques numéros.

Depuis cette date, aucun groupe de presse n'a repris ce créneau, alors qu'en 2002 vient de sortir une nouvelle revue pour les personnes âgées, *Senior*. Sans doute peut-on voir dans cette difficile implantation le refus encore vif de prendre en considération une période de mutation redoutée car souvent assimilée au déclin. Comment accepter, en effet, de lire une revue spécifique pour un âge qu'on ne veut pas avouer ?

Au sein de la famille comme de la société, la deuxième partie de l'âge adulte est ainsi devenue au fil des ans une période bien spécifique, et on peut utiliser, pour la désigner, l'expression de « nouvel âge » proposée par X. Gaullier[4]. Distinct de la première partie de l'âge adulte qui le précède et de la vieillesse qui lui succède, ce nouvel âge correspond aux années dites du milieu de la vie, identifiées comme particulières tant sur le plan social que familial et professionnel. Cependant, l'intérêt pour ce nouvel âge reste limité en France, contrairement aux pays nord-américains, qui produisent une littérature abondante sur cette tranche d'âge spécifique. Ils y consacrent également des revues : *Modern Maturity*, l'une des plus connues aux États-Unis, tire à plusieurs milliers d'exemplaires.

Souvent jeune et dynamique physiquement et intellectuellement, un homme de 45 ans est parfois considéré comme « limite » dans certains milieux professionnels. Ce sentiment est renforcé par ce que les Américains nomment l'« agéisme », forme de racisme où le mythe de la jeunesse tend à exclure les autres générations : les personnes d'âge « moyen » sont, d'un côté, rejetées par les jeunes qui les feraient facilement passer pour vieux et leur reprochent leur pouvoir, mais également, de l'autre, par les vieux qui ne les considèrent pas comme jeunes, mais comme incompétents et usurpateurs.

De nouvelles catégories d'âge

L'augmentation de la longévité a un autre corollaire : la perception du temps et le positionnement de chacun par rapport à l'avenir ont changé. Du fait des développements économiques, scientifiques et industriels du XXe siècle, la projection dans l'avenir s'est amplifiée. Dans nos sociétés dites post-industrielles, la référence au futur semble omniprésente, du fait des moyens d'information et de communication de plus en plus rapides. L'anticipation de l'avenir devient permanente, donnant quelquefois l'impression d'une accélération de l'histoire : c'est la course vers le futur.

Alors que, dans les sociétés primitives, des rites sociaux de passage séparaient les différentes périodes de la vie, les « catégories » d'âge paraissent aujourd'hui s'interpénétrer. Les passages de l'une à l'autre se font par des zones de transition de plus en plus étendues. C'est ainsi que l'on peut aussi expliquer la différenciation progressive de l'âge adulte, avec l'émergence du « milieu de la vie », *the midlife years*, et la distinction entre « jeune adulte » et « adulte vieux » en passant par l'« âge adulte moyen ».

Ainsi, dans notre culture occidentale que l'on dit volontiers désorientée, en quête de repères spirituels, les passages d'un âge à un autre se font par des zones de transition de plus en plus étendues et confuses où la jeunesse et la vieillesse deviennent des catégories imprécises, et où l'état de crise semble s'organiser comme un mode d'existence.

Du nid vide à l'hôtel gratuit

Chez les adolescents, le syndrome de l'« hôtel gratuit » tend actuellement à remplacer celui du « nid vide », comme l'a mis en scène le film réalisé par Étienne Chatilliez, *Tanguy*. Allongée en partie par la prolongation des études, l'adolescence tend, en effet, à traîner de plus en plus en longueur et à s'instituer comme un état durable d'instabilité et d'indécision. Non seulement elle mord sur l'enfance, qui semble se réduire de plus en plus, l'« adultification » de l'enfant allant de pair avec l'« infantilisation » des adultes[5], mais elle déborde sur l'âge adulte en repoussant les responsabilités et les engagements.

Parité homme-femme ?

Les deux sexes vivent-ils la problématique du milieu de la vie avec la même acuité ? On aurait tendance à répondre par la négative, même s'il est difficile, compte tenu de l'absence d'études d'envergure menées sur le plan socioculturel, de préciser, autant qu'on le souhaiterait, la nature de ces différences.

La gestion du temps

Pour commencer, rappelons que les femmes et les hommes n'entretiennent pas le même rapport au temps, même si cette différence tend à s'atténuer avec les transformations des relations entre les sexes. Les hommes, dans leur majorité, ont une organisation plutôt linéaire du temps, centrée autour de leur vie professionnelle et sociale. Les femmes, pour des raisons sociales, historiques et biologiques, ont, au contraire, une organisation temporelle pluridimensionnelle : à travail équivalent, c'est aux femmes que reviennent en général les tâches d'intendance familiales, domestiques, quand ce n'est pas ménagères, et tout ce qui concerne la vie scolaire et extrascolaire des enfants — sports, loisirs, rendez-vous médicaux, dentaires, paramédicaux, etc.

Plus coutumières du changement, les femmes sont peut-être, pour cette raison même, plus habituées à se remettre en question et à échanger sur ce qui les touche de façon personnelle. Les hommes, en général, éprouvent beaucoup de difficultés à parler, même à leurs meilleurs amis, de ce qu'ils jugent trop intime, impudique ou inavouable. « Qu'est-ce qu'elles peuvent se raconter entre elles ? », se demandent-ils souvent, tandis qu'ils commentent entre eux l'activité poli-

tique, sportive ou économique. « On fait notre psychothérapie », leur répondent-elles.

Femmes au bord de la crise perpétuelle ?

Ne serait-ce que sur le plan physique et physiologique, les femmes,
très tôt, sont confrontées à des changements perpétuels : avec les
règles et les grossesses, c'est jusque dans leur corps qu'elles font
l'expérience du changement. Aussi bien physiquement que psychologiquement, elles font régulièrement les preuves, et l'épreuve, de leurs
capacités d'adaptation aux situations nouvelles et de remise en question. Or tout changement constitue un facteur potentiel de crise.
D'une certaine façon, à travers leur organisation pluritemporelle, on
pourrait dire que les femmes sont plus coutumières de la crise que
les hommes.

Conséquence de cette différence de relation au temps :
arrivés au milieu de la vie, hommes et femmes se retrouvent
certes confrontés à des craintes communes concernant le
vieillissement à venir, mais les questions ne se posent pas de
la même façon et elles surgissent peut-être plus brutalement
chez les hommes. Pour eux, la sphère professionnelle est sans
doute celle qui procure le plus de préoccupations et joue le
rôle de détonateur de crise. C'est, du moins, ce qui ressort
d'une étude longitudinale menée sur quatre groupes d'âge
échelonnés entre 20 et 60 ans[6] : on y constate que les femmes
accusent davantage le départ des enfants, tandis que les
hommes sont plus sensibles au stress lié à leur carrière
professionnelle.

Comment concilier vie professionnelle et vie privée ?

La réponse des hommes

Il a été démontré que, pendant la décennie 25-35 ans, les hommes consacraient la quasi-totalité de leur énergie au lancement de leur carrière au détriment de leur vie parentale et conjugale. À partir de la quarantaine, en revanche, apparaît un désir d'intégration des différents domaines de leur vie. Certains arrivent à un renouveau où vie professionnelle et vie privée s'enrichissent réciproquement tandis que d'autres n'y parviennent pas et se résignent à une vie fragmentée, où l'un des deux aspects a la priorité[7].

La réponse des femmes

En obtenant par le travail une certaine égalité avec les hommes, les femmes ont acquis aussi beaucoup de charges, ce qui implique des choix entre différentes activités et aspirations, même si avec la maîtrise de la contraception beaucoup d'entre elles commencent par faire carrière avant d'avoir des enfants. Pour autant, la plupart de celles qui exercent un métier ont avec le travail une relation que l'on pourrait qualifier de « suspensive » : quelle femme active dans sa profession ne s'est pas, en effet, un jour demandé : « Et si j'arrêtais de travailler, pour élever mes enfants, pour avoir du temps pour moi, pour ma famille, pour... ? » L'alternative est possible, encore que pour des raisons financières — nécessité d'un deuxième salaire, femmes seules ou divorcées élevant seules leurs enfants — la question du choix ne se pose pas toujours.

Pour une majorité d'hommes, en effet, le statut professionnel est une composante essentielle de leur identité, celle qui a mobilisé une grande partie de leur énergie. Ce qui implique que leurs interrogations portent avant tout sur l'idée de réussite, d'accomplissement ou, au contraire, d'échec et de déclin professionnel, mais également sur la place que le travail a occupée jusque-là dans leur vie. La question de l'équilibre, réalisé ou non avec la vie extraprofessionnelle, se pose généralement à la quarantaine, et c'est alors que la crise prend sa dimension identitaire.

Pour les femmes, la quarantaine est plutôt le bilan des renoncements auxquels il a fallu consentir et qui se paient parfois cher au midi de la vie. Celles qui ont interrompu leur métier pour s'occuper de leurs enfants le regrettent parfois amèrement lorsque ceux-ci prennent leur indépendance. Autre cas de figure : il peut arriver à celles qui ont voulu embrasser carrière et vie familiale d'avoir au milieu de la vie le sentiment d'être passées à côté de certaines choses, en particulier de l'évolution de leurs enfants, ou bien d'avoir « tout fait mais à moitié ».

Une patiente de 50 ans, hospitalisée pour une dépression sévère qui dure depuis plusieurs mois, fait ainsi le bilan d'une vie centrée autour de son métier de médecin : « J'ai toujours pensé que le travail était le domaine qui ne pourrait pas me décevoir et je m'y suis beaucoup investie... J'ai fait beaucoup de formations pour me perfectionner et parce que ça m'intéressait... Je partais relativement souvent... Avec mon mari, je ne sais pas ce que nous allons décider, peut-être nous séparer, mais de toute façon nous n'avons jamais communiqué, je crois que c'est comme ça depuis le début... Mais ce qui me fait le plus mal, c'est ce que je ressens vis-à-vis de mes filles. L'autre jour, la grande de 21 ans m'a dit qu'elle me considérait presque comme une amie. De sa part, c'était plutôt gentil, mais je l'ai pris comme une gifle... Je crois que je ne me suis pas comportée en mère rassurante. Je me rends compte que je ne me suis pas occupée d'elle quand elle était petite, je ne contrôlais pas ses devoirs... Quand elle a quitté la maison, j'ai cru qu'elle plaisantait. Je comprends qu'elle soit partie si vite. Avec la

seconde, c'est encore pire, surtout depuis que je suis dépri-
mée : c'est plus elle qui me prend en charge ! Depuis plusieurs
mois, je regarde leurs photos quand elles étaient petites : il me
semble qu'elles ne sont plus à moi, j'ai laissé passer ce temps
à côté d'elles, sans être avec elles. »

L'inversion des rôles

Le bilan de ces renoncements dont les femmes n'ont pas
forcément le monopole — les hommes, aussi, ont eu à renoncer — peut toutefois devenir source d'énergie nouvelle. Psychologues et sociologues ont même montré que le milieu de la
vie chez les femmes a plus de chances d'évoluer vers un nouvel
épanouissement que chez les hommes. Au point qu'on parle
même de « désynchronisation » et d'« inversion » des relations
entre les sexes.

Jung avait déjà souligné que, par rapport aux étapes précédentes, l'évolution se faisait en sens inverse entre les deux
sexes[8] : au fil du temps, les hommes développent des aspects
traditionnellement plus « féminins » — besoins affectifs,
dépendance, expression des émotions — et les femmes des
traits plus « masculins » — affirmation de soi, nouvelles activités, revendications et prises de décision. Par la suite, des
psychologues ont souligné qu'au moment où l'homme de la
quarantaine doit lutter contre la fatigue et la stagnation la
femme du même âge gagne en énergie et en indépendance.
Certains pensent même qu'entre 18 et 60 ans hommes et
femmes s'éloignent vers des pôles totalement opposés, dont les
extrêmes se situent vers 40 ans. E. Hurloch, caricaturant la
situation, écrit ainsi : « Quand l'homme passe la trentaine et
pense reprendre son souffle, la femme ne tient plus en place.
Vers les 40 ans, alors que l'homme a l'impression d'être au
bord du précipice, craignant que sa force, sa puissance, ses

rêves et ses illusions ne s'engloutissent devant lui, la femme déborde d'ambition et veut aller jusqu'au bout de toutes ses possibilités [9]. »

Hommes tendres et femmes guerrières ?

Depuis le féminisme, les femmes ont réveillé ce qu'il est traditionnellement convenu de qualifier leurs « composantes masculines » : esprit guerrier de conquête et de compétition, indépendance. Elles se sont affirmées, en quête de succès et d'épanouissement, au prix même de difficultés et de solitude. « Le rêve égalitaire a démantelé la masculinité traditionnelle et mis fin à son prestige », remarque justement Elisabeth Badinter [10]. Le *soft male* a fait son apparition dans les années 1970 — « homme mou » pour les uns, « homme doux » pour les autres —, contesté dans sa virilité et voulant répondre à l'attente des femmes. « On peut sourire, poursuit l'auteur de *XY*, du *men's movement* américain et ricaner de ces week-ends dans les forêts, qui réunissent des hommes à la recherche de leur vraie nature masculine. Quadragénaires installés pour la plupart, ils viennent pleurer leur détresse masculine. »

En réalité, les hommes, souvent, supportent mal le départ des enfants, mais ne l'expriment pas ou n'en prennent pas conscience. Inversement, de nombreuses femmes osent dire que leur autonomisation les libère. Christiane Collange, auteur de *Moi, ta mère* [11], en fait partie : « Nous nous retrouvons toutes unies, mères au foyer et mères travaillant à l'extérieur [...] conscientes d'avoir à vivre encore au moins vingt ans de la vraie, la grande libération, pas seulement celle des femmes, mais celle des mères. Retravailler, reprendre des études, refaire un nouveau couple, redécouvrir les joies de l'amitié... retrouver du temps libre pour rattraper le temps perdu : la décennie 40-50 ans, pour les mères, est le moment de la deuxième chance. Celle qu'il ne faut pas gâcher : après, il sera vraiment trop tard pour les projets, il ne restera que les regrets. »

Le milieu de la vie serait-il alors le « bel âge » pour les femmes et la « mise en quarantaine » pour les hommes ? Ce n'est pas si simple, et, bien évidemment, pour l'un comme pour l'autre, tous les « modèles » de milieu de la vie existent, du bel âge au vide social, de la deuxième jeunesse à la triple retraite anticipée — physique, professionnelle et sexuelle. La situation de nombreuses femmes seules, par exemple après un divorce pourtant choisi, n'est pas toujours enviable sur le plan psychologique. Néanmoins, globalement, l'évolution du statut des femmes depuis la libération féminine a sans doute accentué le phénomène d'inversion des rapports entre elles et les hommes au milieu de la vie.

Le mal-être, ou mâle-être, n'a pas été aussi profond en France et dans les pays latins qu'en Allemagne, dans les pays scandinaves et aux États-Unis, mais il a tout de même ébranlé le modèle de la masculinité invulnérable et laissé, trente ans plus tard, ses traces sur le dualisme des sexes. En même temps qu'ils ont accepté le fameux partage des tâches pour lequel les femmes militent toujours — quelle revue n'y consacre pas chaque année un article en indiquant de combien d'heures la double journée des femmes dépasse celle de leurs compagnons ? —, beaucoup d'hommes se sentent menacés ou harcelés par la toute-puissance féminine. Certains fuient dans leur travail ou leurs loisirs ; d'autres se rassurent auprès d'une autre femme *a priori* moins revendicatrice.

C'est ce malaise qui apporte un élément d'explication devant l'augmentation croissante de la demande sexologique au milieu de la vie : que ce soit sur la taille de son pénis, sur laquelle certains chirurgiens n'hésitent pas à intervenir, ou sur ses performances sexuelles, l'homme moderne, déstabilisé, est plus inquiet de sa virilité qu'il y a un siècle, et c'est au midi de la vie que l'angoisse sexuelle prend une importance nouvelle.

Tous égaux ?

Les inégalités sociales jouent très certainement un rôle important sur la façon dont chacun, à âge similaire, surmonte psychologiquement les mêmes étapes.

À propos de la ménopause

Nous avons déjà parlé de cet événement incontournable qui marque indéniablement le milieu de la vie des femmes, beaucoup plus qu'une hypothétique andropause pour les hommes. De nombreux travaux se sont attachés à analyser le vécu psychologique de ce moment hautement symbolique. Ils ont montré de façon incontestable qu'il s'associait suivant les cas à des aspects à la fois positifs et négatifs :

— *Les aspects négatifs*, peut-être les plus connus, englobent les désagréments physiques ou psychiques ainsi que la perception accrue du vieillissement.

— *Les aspects positifs* correspondent à la libération de tout ce qui concerne les règles et la fertilité, l'amélioration du bien-être et de la santé physique.

De façon significative, ces deux attitudes subissent l'influence de facteurs sociologiques. Dans une enquête menée sur une population de 184 femmes réparties en quatre groupes, on a ainsi constaté qu'un groupe ne mentionnait que les aspects positifs, et un autre les aspects négatifs. Un troisième groupe citait les deux aspects. Quant au quatrième, il estimait que rien n'avait changé. Or il est apparu que ce qui distinguait ces groupes entre eux tenait pour une grande part à la qualité des échanges relationnels, dans la famille et en dehors, et au niveau socioéconomique. Les femmes aux attitudes négatives cumulaient fréquemment difficultés relationnelles et situation économique et sociale défavorable associées à un vécu d'insatisfaction professionnelle. Les trois autres groupes, eux, appartenaient à des catégories sociales plus élevées, avaient davantage de diplômes universitaires, subissaient moins leur travail et présentaient un degré de satisfaction existentielle plus élevé [12].

Or la ménopause n'est qu'un événement parmi d'autres susceptibles à cet âge non de provoquer une crise, mais de jouer un rôle aggravant. Si l'on élargissait l'étude aux autres paramètres impliqués dans la crise au milieu de vie, nul doute qu'on parviendrait à des résultats similaires. Malheureusement, aucune étude sociologique ne permet à ce jour de donner de réponse nette. Il est vrai que le concept de crise du milieu de la vie nécessite une analyse psychologique à laquelle les enquêtes sociologiques se révèlent mal adaptées...

Le cadre et l'ouvrier

La plupart des observations sur la crise de la quarantaine concernent des individus de niveau socioéconomique favorisé. L'archétype en serait le cadre stressé soumis aux impératifs de performance et de résultats, à coups de séminaires de formation et de restructurations d'entreprise. Que devient, pourtant, le travailleur dont la force physique constituait la cheville ouvrière de son identité sociale et qui, entre 40 et 50 ans, après un accident par exemple, ne reprend pas son travail ? Une deuxième carrière professionnelle est difficilement envisageable après de longues années à exercer un métier souvent pénible. Peu qualifiés pour des formations professionnelles, ces hommes et ces femmes ne trouvent quelquefois de reconversion possible que dans la maladie et de nouvelle identité que dans l'invalidité. Rien n'exclut qu'il ne faille aussi voir dans cette évolution la manifestation d'une CMV masquée derrière les séquelles d'un accident.

L'IMPORTANCE DU PERSONNAGE SOCIAL

« Une vie réussie est un rêve d'adolescent réalisé à l'âge mur [13] », écrivait Alfred de Vigny, mais combien d'entre nous peuvent dire, une fois avancés dans leurs trajectoires personnelle et professionnelle, qu'ils ont réalisé un de leurs rêves d'adolescent ? Combien peuvent affirmer qu'ils ont évolué en accord avec leurs aspirations profondes et s'estimer satisfaits de ce qu'ils ont accompli ? Certes, la notion d'échec ou de réussite se mesure difficilement. Elle dépend du point de vue duquel on se place et de l'angle d'observation où l'on se situe, lesquels dépendent eux-mêmes de facteurs historiques et sociaux.

Aujourd'hui, sans conteste, l'apparence, les signes extérieurs de richesse, de pouvoir ou d'appartenance à un certain groupe social, se glorifient, peut-être au détriment de l'intériorité. Ce n'est pas la personne mais le personnage social qui compte, et celui qui, naturellement ou par volonté d'opposition, s'en démarque passe volontiers pour un original ou un marginal. Les hommes d'influence sont désormais des managers, des P-DG d'entreprise dont la réussite se mesure en actions boursières, ou des personnalités du très puissant monde des médias.

Le succès, valeur ultime ?

En d'autres temps, la pensée et la spiritualité ont pu être tenues pour des valeurs suprêmes, qu'on songe aux stoïciens qui faisaient l'apologie de l'ascétisme et du renoncement aux biens terrestres ou aux cartésiens qui proposaient une morale du bonheur et de la « générosité » envisagée comme une disposition à donner plus que ce à quoi on est socialement tenu. Ces temps sont loin... Longtemps, dans l'imaginaire socioculturel occidental, la valeur la plus célébrée a été celle de la réussite sociale. Ce phénomène, qui semble en léger recul, mettra sans doute longtemps à s'atténuer...

Au sens propre comme au figuré, notre société est celle de l'image : cathodique, avec les stars de nos écrans télévisés, modèles identificatoires pour des millions de spectateurs, et sociale. Globalement, l'image sociale de la réussite allie réussite financière et puissance par le travail. Alors que, par le passé, les « castes » supérieures possédaient le privilège de l'insouciance et du divertissement et que les roturiers déploraient l'activité professionnelle à laquelle ils étaient contraints, le travail est désormais un symbole de pouvoir, surtout s'il est couronné par le succès financier. Comme l'écrit Pascal Bruckner, « tandis que les classes laborieuses aspirent à l'oisiveté, les classes dites oisives deviennent laborieuses, affichent des semaines de 60 à 80 heures et brandissent le surmenage comme indice de leur supériorité[14] ». Le « surbooking » est ainsi passé du vocabulaire des compagnies aériennes aux jours d'affluence à celui de tout professionnel qui a pignon sur rue. Au point que certains consommateurs s'inquiètent presque, en s'adressant à un artisan, un avocat ou un médecin, quand celui-ci leur donne rendez-vous rapidement...

Qu'il possède ou non les critères de réussite, l'être moderne, enfermé dans son personnage social, finit souvent par se laisser piéger par son rôle. Dans une première partie de sa vie, il a fait carrière, construit ou non une famille et assuré sa position sociale. Arrivé au terme de cette période, il ne sait souvent plus comment se définir sinon par ses titres, ses revenus ou son statut : c'est alors que la « crise de la mi-carrière » menace, laquelle se caractérise successivement par la recherche du « fil conducteur » de sa propre histoire, la tentative de modifier sa trajectoire et, enfin, la quête d'une issue satisfaisante qui le conduise jusqu'à la retraite[15]. Cette crise de mi-carrière, exposée à l'aggravation en raison du contexte actuel de l'emploi, et la crise du milieu de la vie semblent bien constituer les deux faces du tournant de la quarantaine.

Embonpoint : le mal nommé

Autrefois, l'image de la maturité associait plutôt l'embonpoint, la calvitie et les pantoufles, et, au XIXe siècle, le caricaturiste Daumier pouvait croquer l'âge de la réussite par le tour de taille. Il y a vingt-cinq ans, la réussite du manager se traduisait déjà autrement : « Finie la considération que valait à nos grands-pères une bedaine barrée d'une montre en or. Pour espérer terminer la deuxième moitié du parcours, il faudra se maintenir dans une forme quasi athlétique. Avons-nous le choix ? Les compagnies d'assurance vie ne donneraient pas cher de ma peau si, à 40 ans, je continuais à fumer, boire et manger comme à 20... Le seul véritable combat physique de ma vie se livre contre l'embonpoint[16]. »

Autre piège, lié au précédent : l'idéalisation de la jeunesse, alimentée par l'illusion que la science et la technique pourront sans cesse repousser les limites de la vieillesse et donner un autre sens à la vie humaine. Actuellement, le nouvel idéal de l'âge adulte suppose un épanouissement et une séduction permanente, un souci accru de l'esthétique et surtout une jeunesse préservée.

Plusieurs sociologues anglais ont étudié en détail l'évolution de l'imaginaire de la maturité et montré comment les nouvelles modes se diffusent, à travers les médias, des « stars » aux classes supérieures puis aux classes populaires [17]. Actuellement, donc, quadra et quinqua du grand et du petit écran conjuguent de façon remarquable séduction et professionnalisme. Entre Victoria Abril et Claire Chazal, Bruce Willis et Patrick Bruel, le modèle prévalent associe jeunesse et esthétisme. Le phénomène concerne les deux sexes même s'il persiste sur ce plan des inégalités. La séduction survit, en effet, mieux à la jeunesse chez les hommes que chez les femmes : le champ d'action à 50 ans est beaucoup plus restreint pour les secondes que pour les premiers. Cela n'empêche pas un nombre croissant d'hommes de multiplier les efforts pour rester physiquement compétitifs, qu'il s'agisse de produits capillaires ou de musculation intensive dans les salles de gymnastique.

La publicité, de son côté, s'emploie de plus en plus à diffuser le rapprochement des images parentales et adolescentes. Telle marque de vêtements a ainsi présenté pendant plusieurs mois une campagne de publicité avec des photos en duo « mères-filles » qui, pour certaines, prêtaient à confusion. Pour participer au casting, il était demandé le nom, l'adresse, le téléphone, les mensurations, la photo en pied et le portrait de chacune... Tout comme les mères adoptent de plus en plus fréquemment des comportements vestimentaires rappelant ceux de leurs filles adolescentes, les pères, eux aussi, se « relookent » autour de la quarantaine, échangeant leurs vestes-cravates classiques pour des tenues plus « branchées » et plus compatibles avec la conduite de véhicules motorisés à deux roues, plus pratiques dans les embouteillages et tellement plus « jeunes » que la berline familiale...

La suprématie actuelle du personnage social retentit probablement très fort au milieu de la vie. Après avoir acquis une position sociale, après s'être investi dans des rôles professionnels et familiaux, la question se pose alors de l'orientation à prendre pour les années, encore nombreuses, à venir. Dans ce moment de doute et d'interrogation, nous pouvons mesurer l'écart entre les deux parties qui coexistent en chacun de nous avec plus ou moins d'harmonie : notre personnalité extérieure et notre intimité profonde. L'un des enjeux du midi de la vie, et l'une des sources de crise, est justement de retrouver cet « être intérieur » que nous avons perdu de vue, en raison notamment de l'hypervalorisation des signes extérieurs d'existence sociale.

Être adulte aujourd'hui

Autrefois, l'âge adulte allait de la sortie de l'adolescence jusqu'à la retraite, non pas d'un seul trait, mais selon une voie tracée, relativement linéaire. De nos jours, cet âge s'est allongé en même temps que la longévité. Les divorces et la recomposition des familles, tout comme le développement des temps professionnels de formation, contribuent, en outre, à véhiculer l'idée de vies nouvelles, toujours possibles.

Du coup, il semble, par certains côtés, que l'âge adulte soit devenu l'âge du statut incertain, un âge privilégié pour une nouvelle recherche de soi-même, où l'on vise à s'approprier davantage de temps, où l'on souhaite réfléchir à ses aspirations et convictions profondes.

S'interrogeant sur l'avenir de l'âge adulte, on peut, comme le fait X. Gaullier[18], développer deux types de « scénarios », dont la distinction apparaît déjà d'actualité.

— *Le scénario rouge* correspond à un cycle de vie aux âges rigides caractéristique d'une société « duale » où les privilégiés, les 25 -50 ans et bientôt seuls les 30-45 ans, se partagent l'emploi disponible en menant une vie surchargée, pendant que les plus jeunes et les plus âgés sont inactifs ou exercent des sous-emplois, et où l'être humain sera « en miettes », mal protégé par une famille éclatée.

— *Le scénario vert* correspond à une société aux cycles de vie flexibles, où l'homme souple et adaptable, intégré dans une « famille en réseau », pourra devenir âgé sans être vieux.

Le scénario rouge exposerait davantage à la crise du milieu de la vie, avec l'exacerbation du ressentiment et de la résignation : les individus se sentent et se croient vieux à la cinquantaine, sans projet ou idée de reconversion. Dans le scénario vert, des activités multiples dans plusieurs domaines ont contribué à une suite de renouvellements qui permettent, au milieu de la vie, de devenir soi-même, avec un équilibre entre action et intériorisation, une capacité d'humour et de distanciation face aux limites physiques et aux difficultés psychologiques, enfin la faculté d'élaborer des projets d'avenir, qu'ils se réalisent ou non.

Chapitre VI

La traversée de la crise

La traversée de la CMV n'est jamais une croisière, malgré certaines apparences. Chacun l'effectue à sa manière. Pour les uns, elle ressemble à un flottement de quelques mois, pour d'autres, c'est une plongée dans la maladie. Des troubles psychiques sont parfois le prix à payer pour en sortir.

LES FORMES DISCRÈTES DU TROUBLE

« Personne ne s'est aperçu que je faisais une crise du milieu de la vie. Personne, sauf mon ami de toujours, que je ne vois pas souvent, car il vit aux États-Unis. C'est lui qui m'a dit ce qui m'arrivait. Il m'a conseillé d'aller voir un psy. Depuis six mois à peu près, j'avais une impression d'interruption... C'est difficile à expliquer... Quelque chose d'extérieur à moi, comme si je regardais ma vie derrière une vitre... J'avais l'impression que le temps s'arrêtait, je ne savais pas jusqu'à quand. Je n'en ai parlé à personne, sauf à cet ami. J'avais peur qu'on me prenne pour un fou, qu'on ne me comprenne pas. »

L'homme qui s'exprime ainsi n'a concrètement rien changé à sa vie de famille ni à son métier. Personne ne l'a pris pour un fou, comme il le craignait, et il n'a eu recours à aucun médicament. Pourtant, ces quelques mois interminables ont été particulièrement difficiles à passer. Il en est sorti différent intérieurement. Aujourd'hui seulement, il peut en parler.

On peut souffrir en silence...

On parle généralement de CMV « discrète » ou « pure » quand le vécu de changement est intérieur, qu'il ne retentit pas sur le comportement social et peut passer inaperçu pour l'entourage, sauf pour les très proches. Cette dénomination a été proposée par Lucien Millet pour éviter les qualificatifs ordinaires de « mineure » ou de « simple ».

En effet, ces formes discrètes de crise ne sont ni mineures ni simples[1]. Elles ne relèvent pas de la pathologie, mais entraînent un degré de souffrance tel qu'il amène souvent à demander de l'aide : plus que celle d'un ami, on sollicite volontiers une aide professionnelle et extérieure — celle d'un médecin par exemple, généraliste ou psychiatre. Toutefois, il est probable que beaucoup de personnes concernées, devant le mal-être qu'elles ressentent confusément, ne font appel à personne, soit qu'elles éprouvent de la difficulté à formuler une telle demande, soit qu'elles l'estiment inutile ou encore qu'elles redoutent une proposition de traitement médicamenteux.

Les formes discrètes de la CMV se caractérisent par leur survenue à l'occasion d'événements en apparence banals, bien que souvent plus significatifs qu'il n'y paraît : éloignement affectif, déménagement, problème professionnel, incident de santé... Elles se traduisent par une impression de malaise existentiel, de changement intérieur inexplicable, par un sentiment de remise en question personnelle et du monde environnant. L'un des aspects spécifiques est celui d'un vécu de « discontinuité » personnelle, souvent exprimé en ces termes mêmes.

Normal ? Pas normal ?

Les formes discrètes de la CMV introduisent la question ancienne de la frontière entre la santé mentale et la maladie. Longtemps, les psychiatres se sont heurtés à ce problème. Pour le résoudre, ils ont fini par créer des cadres de référence plus précis, afin de mieux répertorier les personnalités, normale ou pathologique, et les symptômes qui vont avec. Toutefois, les limites sont parfois difficiles à marquer. Certains changements de comportement au cours de cette période de crise peuvent, en effet, prêter à confusion. À l'inverse, il arrive à certains quadragénaires d'éprouver des souffrances psychologiques considérables sans rien en laisser paraître. À moins que leur corps ne se charge de le dire à travers des troubles psychosomatiques.

En dehors de troubles pathologiques francs, ces formes évoluent sur des périodes relativement courtes, de l'ordre de quelques mois, sans doute parce qu'elles affectent des hommes et des femmes ayant des investissements affectifs ou familiaux, lesquels jouent un rôle de soutien ou donnent l'occasion de trouver de nouveaux pôles de créativité personnelle. Dans ce genre de cas, l'aide psychothérapique est également bénéfique, même si elle se limite à une écoute emphatique, sans interprétation ni intervention directive. Cette aide peut suffire, comme elle peut déboucher sur une psychothérapie plus longue. En voici un exemple.

Bernard, 46 ans, architecte, consulte pour des difficultés à dormir associées à une sensation de fatigue permanente. « C'est un état bizarre, dit-il, difficile à définir, comme si quelque chose n'était plus comme avant. » Il y a quelques mois, il a commencé à sentir de temps en temps des palpitations. Un cardiologue l'a rassuré : « Enfin, façon de parler, précise-t-il, car cela ne m'a pas arrangé de savoir qu'il n'y avait rien... » Une cousine, elle aussi médecin, lui a fait faire un bilan biologique qui n'a rien montré d'anormal, et lui a conseillé d'en parler avec un psychiatre.

Bernard me raconte qu'il se sent presque toujours tendu. Il n'a plus d'intérêt pour ce qu'il faisait habituellement avec plaisir ou, du moins, sans effort. Désormais, tout lui coûte.

Marié depuis vingt ans, il n'accuse pas de problème grave avec sa femme qui commence à le traiter de vieux : « Je fais des efforts pour sortir mais, franchement, je n'y prends plus aucun plaisir », constate-t-il calmement. Il n'a pas de souci important non plus du côté de ses enfants : « Mon fils ne fiche pas grand-chose mais c'est un débrouillard. Ma fille a toujours réussi dans ses études. Ils sont de moins en moins à la maison. Ils ne doivent pas me trouver drôle. » De même, il n'y a pas de plainte particulière concernant le travail, mais pas de grand enthousiasme non plus : « Il y a la concurrence », se contente-t-il d'ajouter.

En revanche, Bernard a été très déçu par ses activités politiques. Membre actif de la campagne électorale du maire sortant qui a été battu, il ne s'est pas senti suffisamment suivi en raison de luttes de pouvoir au sein de son équipe. « J'ai été lâché, ça m'a dégoûté. Je n'ai plus cru en rien, je me suis totalement désinvesti, comme un adolescent qui perd d'un seul coup ses illusions. Je me demande parfois si mes convictions restent fortes, alors que j'ai toujours été militant... »

Bernard continue donc de travailler, de faire ce qu'il a à faire, parce qu'il le faut, parce qu'il a été « éduqué » comme ça, mais de temps en temps lui vient l'idée que s'il disparaissait ce ne serait grave pour personne. On lui a alors conseillé d'essayer la relaxation. Les quelques séances n'ont pas apporté de grand bénéfice. En revanche, le fait de parler l'a apaisé et l'aide à relativiser sa désillusion.

Quelle aide peut apporter un « psy » ?

Quand aller consulter ?
— Si vous n'osez pas parler à votre entourage de ce que vous ressentez.
— Si vous avez peur de devenir fou, ou si vous avez l'impression que ce que vous ressentez est anormal.
— Si vous êtes rassuré par l'idée de parler à quelqu'un de neutre et de professionnel.
— Si vous avez du mal à définir ce que vous vivez : impression de malaise, de rupture intérieure, de discontinuité, etc.

Quelles sont les premières aides qu'il peut vous apporter ?
— Il vous écoute et vous aide à préciser ce que vous ressentez.
— Il calme votre inquiétude sur votre niveau de « santé mentale ».
— Il met en relation certaines impressions que vous ressentez avec d'éventuels phénomènes anxieux.
— Il replace le malaise que vous éprouvez dans le contexte actuel de votre vie et vous aide à repérer certains événements marquants qui ont pu passer inaperçus.
— Il vous explique comment il voit votre problème, si vous avez intérêt à entreprendre une thérapie et, dans ce cas, quel type vous conviendrait le mieux.
— En l'absence de trouble systématisé, il est difficile d'orienter *a priori*. Il faut souvent plusieurs entretiens pour analyser ensemble les difficultés dans leur globalité.

Après six mois d'entretiens réguliers mais sans rythmicité rigide, Bernard se sent mieux, même s'il n'a pas retrouvé son enthousiasme, et exprime le désir d'interrompre cette prise en charge. Un rendez-vous est pris environ un mois plus tard pour faire le point. Il l'annule une semaine à l'avance et me déclare se sentir « apte à voler de ses propres ailes ». Il ajoute qu'il élabore avec l'un de ses frères un projet d'architecture dans le village où ont vécu leurs grands-parents et où ils possèdent un terrain, ce qui est une façon de réinvestir son métier et, en même temps, sa place dans la lignée familiale.

Ainsi peut-on traverser la crise sans qu'il y ait de retentissement frappant sur la vie sociale, ou même familiale, sans qu'apparaissent des troubles pathologiques relevant du « soin » psychiatrique.

Pas plus que l'adolescence, la CMV ne peut être envisagée sous l'angle de la normalité. En revanche, son évolution sera en grande partie influencée par les relations et l'interdépendance mises en place depuis longtemps avec l'entourage proche. Il s'agit probablement là d'un facteur important qui induira, dans certains cas l'apaisement, et dans d'autres la complication vers les troubles pathologiques.

QUAND TOUT SE COMPLIQUE

La complication vers des troubles plus graves se fait souvent par le biais d'éléments dépressifs qui vont, progressivement ou d'un coup, faire basculer le quadragénaire désorienté. Rappelons que l'approche psychanalytique met fort justement l'accent sur la composante dépressive de la crise du milieu de la vie, laquelle résulte de la confrontation de l'adulte au vieillissement et à la perspective de la mort.

On peut, comme le psychanalyste Eliott Jaques, défendre l'idée que la vie ne peut être vécue que dans la perspective d'une mort personnelle, ce qui implique, à un moment donné de l'âge adulte, une « crise dépressive » inéluctable[2]. Certains auteurs adoptent une position plus nuancée et soutiennent qu'une « crise d'une certaine proportion est probablement la norme de l'âge moyen[3] ». D'autres défendent même l'idée inverse et affirment, en s'appuyant sur des études, que cet âge apparaît comme « une période de vie relativement exempte de stress[4] ». Quoi qu'il en soit, et indépendamment de ces divergences fondamentales, une notion paraît essentielle : celle du déni, qui consiste à refuser inconsciemment certains désirs ou, au contraire, la réalité des difficultés psychologiques.

Jaques, très clairement, estime que l'attitude de l'être humain tout au long de sa vie est soutenue par le désir inconscient d'être immortel, et que l'idéalisme de la jeunesse se construit sur l'utilisation inconsciente du déni « comme processus de défense contre deux caractéristiques fondamentales de la condition humaine : l'inéluctabilité de la mort et l'existence des pulsions destructrices à l'intérieur de chaque personne ». La prise en compte de ces deux éléments permettrait de mieux les affronter et de surmonter la CMV en libérant une forme plus positive de créativité. Le milieu de la vie, en quelque sorte, offrirait le choix entre deux possibilités : la mise en échec de ce déni de notre sort de mortels entraînant un mouvement dépressif ou bien la poursuite de celui-ci malgré la réalité extérieure.

Ainsi, un certain nombre de comportements peuvent s'interpréter comme des tentatives pour dénier la fuite du temps : les comportements compulsifs de tant d'hommes et de femmes autour de la quarantaine pour rester jeunes ; les préoccupations quasi obsessionnelles concernant leur apparence extérieure, leur forme sportive ou leur santé ; la multiplication des conquêtes amoureuses pour se rassurer sur leur potentiel de séduction, qui auraient pour but inconscient de lutter et d'atténuer la situation interne de chaos et de désespoir.

Selon un même mécanisme de défense, certaines manifestations pathologiques de CMV qui n'appartiennent pas à la dépression peuvent être considérées comme une manière d'éviter celle-ci. Les notions de « position dépressive » ou de « dépressivité » apparaissent alors plus judicieuses pour évoquer non seulement les troubles dépressifs eux-mêmes, mais aussi d'autres phénomènes pathologiques tels que des comportements toxicomaniaques survenant à l'âge adulte, des troubles psychosomatiques ou encore hypocondriaques.

Avez-vous surmonté votre position dépressive ?

Le concept de « position dépressive » a été introduit par Melanie Klein[5], puis repris par Donald Winnicott, figures de la psychanalyse dans la mouvance de Freud, pour décrire les mouvements psychologiques opérés par le petit enfant dans sa première année face à la séparation progressive d'avec sa mère.

Dans les meilleurs des cas, cette séparation se fait progressivement par l'expérience répétée de l'absence puis du retour de l'image maternelle. Tout ce qui symbolise l'absence et la réapparition, comme les jeux de cache-cache, permet à l'enfant de surmonter l'angoisse liée aux séparations et d'intégrer un sentiment de sécurité, en faisant la part entre absence passagère et perte définitive.

Cette expérience fondamentale va conditionner en grande partie nos capacités futures de séparation, de solitude et d'autonomie, à l'adolescence puis à l'âge adulte, selon que la position dépressive aura été ou non surmontée. Elle affecte également notre potentiel de création tel qu'il va se manifester dans notre art de vivre ou notre vie culturelle. Elle permet, enfin, de sublimer le manque ou l'absence.

LE SPECTRE DE LA DÉPRESSION

Quels que soient leur intensité et leur caractère primaire ou secondaire, les phénomènes dépressifs constituent le noyau de la crise du milieu de la vie. En effet, outre les manifestations classiques de la dépression, beaucoup de troubles, sans pour autant entrer dans ce cadre symptomatique et nosographique, présentent une allure dépressive.

Les symptômes dépressifs de la crise du milieu de la vie sont ceux de toute dépression. Tous les degrés de sévérité peuvent exister, jusqu'aux formes graves avec gestes ou comportements suicidaires. Encore faut-il s'entendre sur le terme « dépression » qui, de nos jours, est souvent sinon galvaudé, du moins utilisé à tort et à travers. « Je déprime », « il fait une déprime » font désormais partie du vocabulaire presque courant, englobant aussi bien l'anxiété, le surmenage, la tristesse ou l'ennui, qui certes peuvent eux-mêmes entraîner une dépression ou l'accompagner, mais n'en constituent pas les éléments caractéristiques.

Cette difficulté à définir la dépression se présente également parfois au médecin, même psychiatre, en pratique clinique courante : il n'est pas toujours aisé en effet de faire la part entre une souffrance psychologique globale alimentée par des phénomènes anxieux et un authentique syndrome dépressif. Un certain nombre de symptômes communs, associés à des degrés divers, doivent se trouver réunis pour pouvoir porter le diagnostic. Rappelons-les brièvement. Ce sont :

— *l'altération de l'humeur et des émotions*, allant d'une tristesse qui atteint tous les pôles de la vie jusqu'à une véritable douleur morale dominée par l'idée qu'il vaudrait mieux en finir avec la vie, avec perte d'estime de soi et autodévalorisation ;

— *le ralentissement de l'activité sur les plans intellectuel, physique ou comportemental* : difficultés à se concentrer, à mémoriser ; fatigue, lenteur des gestes, de la parole, voire impossibilité d'entreprendre des activités du quotidien ;

— *la perte d'intérêt et l'anhédonie*, c'est-à-dire la capitulation du désir qui peut aussi bien affecter le plaisir de manger ou d'écouter de la musique que le plaisir sexuel ou celui d'être avec les gens qu'on aime ;

— *la présence de troubles physiques*, parfois au premier plan : fatigue qui peut confiner à l'épuisement ; sommeil qui fait défaut ou, au contraire, devient un refuge ; perte d'appétit entraînant l'amaigrissement ou, au contraire, suralimentation ; phénomènes douloureux mal expliqués qui peuvent être des symptômes « alibis » pour une autre douleur plus difficile à exprimer.

L'intensité de ce tableau polymorphe varie selon la prédominance de l'un ou l'autre de ces groupes de symptômes. Outre la classification internationale des maladies (CIM 10), de nombreuses échelles permettent de l'évaluer plus précisément et de classer la dépression selon différents niveaux : léger, moyen ou sévère avec, dans ce dernier cas, un retentissement majeur sur la vie du déprimé. Certains peuvent alors nourrir des idées délirantes, de culpabilité ou de catastrophe imminente dont ils s'attribuent l'entière responsabilité. D'autres vont opter pour la mise en œuvre d'un acte suicidaire.

Quel que soit leur degré d'intensité, les troubles doivent persister durablement (deux semaines au moins) pour que l'on puisse porter le diagnostic de dépression. Éprouver de temps en temps — ou l'espace de quelques jours, par exemple en période de deuil — du découragement, de la tristesse ou avoir le sentiment que la vie est difficile ne constitue pas un syndrome dépressif.

Les deux histoires suivantes illustrent deux niveaux distincts de sévérité dans la dépression.

Jeanne, 41 ans, vient en consultation sur les conseils de son médecin généraliste. Celui-ci lui a prescrit, voici trois semaines, un traitement antidépresseur et lui a conseillé, dans le même temps, d'entreprendre une psychothérapie de soutien.

L'aide médicamenteuse commence à procurer un certain apaisement, mais l'épuisement reste manifestement total. La parole est lente chez cette femme, habituellement dynamique et entreprenante, qui n'a eu à faire appel au médecin que pour une entorse au genou et une grippe sévère il y a deux ans. D'elle-même, elle dit d'ailleurs qu'elle a « l'esprit fatigué ».

Jeanne occupe un poste à responsabilités dans une grande administration, qui l'amène à se déplacer souvent. Cette intense activité qui la passionne ne lui a jamais coûté. Bien au contraire, elle l'a épanouie jusqu'à il y a un an. À ce moment-là, elle a fourni un travail supplémentaire qui lui a valu un surcroît de reconnaissance de la part de sa hiérarchie mais qui a aussi déchaîné la malveillance aigrie d'un collaborateur jaloux. D'où une dégradation sensible des relations dans l'ensemble de l'équipe.

Les troubles se sont installés petit à petit : fatigue permanente, sentiment de malaise pendant les vacances et surtout disparition de toute sensation de plaisir. « Le plus pénible pour moi, dit Jeanne, est de me sentir absente quand je suis avec ma fille et mon mari. On dirait que je suis comme anesthésiée... Je ne ris plus et je les rends malheureux. »

Au fur et à mesure qu'elle prend conscience des retombées de cet événement professionnel sur l'ensemble de sa vie, Jeanne dresse un parallélisme avec ce qu'elle a vécu au sein de sa propre famille. À la mort de son père, quand elle avait 20 ans, sa mère, qui a toujours manifesté à son égard des attitudes de rivalité hostile — « J'étais la préférée de mon père », explique Jeanne —, a divisé la fratrie, l'isolant de ses deux sœurs. Cette situation, dont elle souffre, perdure encore aujourd'hui, tout en l'empêchant d'accomplir le deuil de ce père chéri.

Plusieurs mois d'entretiens, poursuivis après l'arrêt du traitement médicamenteux, vont permettre à Jeanne de se resituer dans sa famille, de réorganiser ses objectifs professionnels et de reprendre son élan habituel, malgré les déceptions et les regrets.

Jérôme, 44 ans, a tenté de mettre fin à ses jours en se pendant chez lui. Sa femme, repassée à l'improviste à leur domicile, l'a découvert et sauvé *in extremis*. Après une longue hospitalisation en réanimation puis en milieu psychiatrique, Jérôme a passé un mois chez des amis. Aujourd'hui, il tente de faire le point à distance.

Jusqu'à ce geste, qui devait être définitif et qui a anéanti son entourage, Jérôme a tout fait pour ne rien laisser paraître de son désarroi. « Pourtant, dit-il, tout tournait mal depuis deux ans. » D'abord sur le plan professionnel : alors qu'il réussissait une belle carrière de pharmacien, il a monté un projet d'officine plus important qui s'est soldé par un échec et une déception amicale. Sur le plan conjugal, ensuite : sa femme, avocate, a elle-même été très occupée par son métier, ce qu'il a ressenti comme un abandon, malgré sa propre suractivité. Une aventure amoureuse, loin d'améliorer la situation, a réveillé en lui un immense sentiment de culpabilité.

Enfant chéri de parents très unis malgré de lourdes épreuves, Jérôme éprouve, depuis deux ans à peu près, l'impression de ne pas être à la hauteur de l'image idéalisée qu'ils se sont faite de lui : « Ma réussite professionnelle m'a paru vaine... L'échec relatif de mon nouveau projet semblait signifier que j'en voulais trop... Quant à l'évolution de mon propre couple, elle m'a paru médiocre comparée à celle de mes parents et de beaucoup de nos amis... Quand j'ai voulu mourir, malgré mon attachement à mes enfants, j'ai pensé à l'image que je leur donnais... Le contraire d'un modèle... Et puis, je trouvais que la vie avait vraiment un sens dérisoire. »

Comment repérer les premiers signes de dépression chez un proche en CMV ?

Voici quelques indices qui, isolés ou regroupés, peuvent vous mettre sur la piste :
— La perte de dynamisme et d'entrain : il fait les choses par force, par obligation.
— La perte d'intérêt pour la totalité ou la quasi-totalité des activités habituelles : il n'éprouve plus de plaisir à rien.
— Des modifications dans les habitudes de vie : il dort mal, il dort trop ; il est fatigué en permanence ; il ne mange plus ou il dévore...
— Des plaintes physiques inhabituelles ou accentuées : il a mal au dos, à la tête ; il a des sensations de vertige, des difficultés à respirer, des douleurs abdominales, etc.
— L'absence de joie combinée à une émotivité à fleur de peau : il ne rit plus, ne sourit même plus et a tendance à pleurer.
— L'expression d'idées marquées par l'échec, la nostalgie, la désillusion ou encore l'inutilité : à quoi bon ? semble-t-il dire en permanence.
NB : Tous ces signes doivent durer au moins quinze jours pour qu'on puisse parler de dépression.

Jérôme n'a toujours pas retrouvé un sens plus manifeste à sa vie, mais il s'y emploie, dit-il, malgré le doute persistant. Il vient de passer quelques jours avec sa femme et, pour la première fois depuis longtemps, il a cru ressentir, même s'il l'exprime avec cynisme, quelque chose qui ressemble à du plaisir.

La dépression qui complique la CMV est une dépression à part entière, qui peut, comme les autres, nécessiter un traitement antidépresseur. C'est en général l'intensité des troubles qui amène à poser l'indication de cette prescription.

Que peut-on attendre d'un médicament antidépresseur ?

— Les antidépresseurs agissent sur les symptômes de la dépression, et non pas sur ses causes ou sur la personnalité. Ils représentent en quelque sorte une « béquille » médicamenteuse, qui permet d'avancer : l'amélioration des symptômes a un effet apaisant et permet d'analyser la situation dans laquelle on se trouve paralysé.

— Il est illusoire d'attendre du traitement médicamenteux un effet avant deux semaines environ, délai d'action de la plupart des antidépresseurs.

— Sans un minimum d'accompagnement psychologique, un traitement médicamenteux n'aura qu'un effet partiel.

— Une erreur fréquente est d'arrêter le traitement dès l'amélioration, s'il est bien toléré. On connaît aujourd'hui suffisamment les mécanismes biologiques de la dépression pour savoir que leurs perturbations persistent plus longtemps que les symptômes et que l'arrêt prématuré du traitement favorise les rechutes. D'où la nécessité de le poursuivre, après amélioration, pendant trois à six mois au minimum.

LES TRISTESSES DÉPRESSIVES

Cette dénomination un peu atypique, qui n'appartient à aucune catégorie de la nosographie psychiatrique[6], mérite quelques explications. En effet, si la tristesse fait partie de la symptomatologie de la dépression, elle ne la résume pas et ne permet pas de la définir non plus. L'approche phénoménologique de la dépression clarifie ce point. D'où la question du caractère accessoire de l'« humeur triste » dans les syndromes dépressifs. Comme l'écrit Tatossian, « la dépression est un trouble de l'humeur et la tristesse, malgré l'expression assez illégitime d'humeur triste, est un sentiment, ce qui est tout autre chose. [...] Les médicamentations antidépressives n'agissent pas sur la tristesse où, à franchement parler, le médecin ne fait guère mieux qu'un ami sincère [7] ».

Êtes-vous triste ou déprimé ?

La tristesse concerne un objet particulier, la perte d'un ami ou l'échec d'un projet, par exemple. C'est un sentiment relativement ponctuel, même s'il revient de façon récurrente pendant une période donnée avec, dans l'intervalle, d'autres sentiments ou d'autres activités psychiques. La dépression, elle, ne s'attache pas à un objet en particulier. Elle envahit à des degrés divers la globalité de l'existence du sujet, infiltre sa vie de manière durable et permanente : dans la dépression, le problème n'est pas un objet extérieur, quand bien même un événement a été déclencheur, mais soi-même.

Beaucoup de crises du milieu de la vie se manifestent par des tableaux de malaise existentiel où la frontière avec la dépression est difficile à définir : inhibée dans son élan vital, bloquée par une incompréhension du sens de son existence, la personne ne parvient plus à se projeter dans l'avenir. Sans doute peut-on rattacher ces états à des « épisodes dépressifs légers [8] ». Dans tous les cas, ils relèvent de cette « dépressivité » dont nous avons déjà parlé et que certains voient comme une structuration de la personnalité, un mode existentiel ou un moyen de défense justement contre la dépression [9, 10]. Ils peuvent se traduire par des états de morosité, des démissions ou une nostalgie durable.

La morosité

Parlant de la morosité chez certains adolescents, le psychanalyste Pierre Male évoque un « état particulier » qui n'est pas la dépression et qui « manifeste plutôt un refus d'investir le monde des objets, des êtres [11] ». Elle se rapproche, en effet, de l'ennui, lié à la répétition des situations, des mêmes gestes, des mêmes actes aux mêmes heures, des mêmes paroles, qui finissent par se vider de leur sens. On la retrouve dans divers registres de la pathologie psychiatrique et, notamment, dans la dépression.

La morosité, à l'instar de l'ennui, apparaît souvent comme une protection contre des conflits internes et une défense contre la dépression. Outre l'adolescence, la crise du milieu de la vie est un autre moment propice à sa manifestation. Signalons, d'après notre expérience, qu'elle affecte plus les hommes que les femmes. C'était le cas, déjà évoqué, de Jean-Jacques qui passait des heures interminables dans son bureau à la maison, officiellement devant son ordinateur, en réalité à ne rien faire sinon laisser son esprit errer sur l'ennui de sa vie sans aucune envie de communiquer avec les siens. C'est aussi le cas d'Hervé, 51 ans, qui m'est adressé par son médecin de famille, lui-même alerté par l'entourage, inquiet du changement observé depuis plusieurs mois.

Employé dans un hôpital, Hervé continue de travailler parce qu'il n'a pas le choix — « Il faut bien que je gagne ma vie » —, mais ne trouve plus aucun intérêt à ce qu'il fait. C'est une routine sans perspective de changement. Un sentiment de vide a envahi sa vie : « Rien ne m'attire, tout me paraît terne. Même mes deux petits-enfants dont j'étais si fier, j'ai du mal à les supporter... Je continue à aller à la pêche, mais je suis presque obligé de me forcer... Je me demande à quoi ça sert, tout ça. »

Cette situation dure depuis environ un an, malgré un traitement antidépresseur. Hervé m'apprend que, peu de temps auparavant, il a été accusé à tort de faute professionnelle. L'erreur a été rétablie très vite, mais a laissé des traces importantes : « Vous savez, m'explique-t-il, j'ai perdu mes parents très tôt, je me suis occupé de mes frères, je me suis débrouillé tout seul, mes trois enfants ont bien réussi... Alors, oui, cette accusation a été pénible à accepter. Mon travail ne m'a jamais passionné, mais au moins, avant, j'étais content de retrouver les collègues. Aujourd'hui, tout me déçoit... »

Hervé s'est d'autant plus occupé de ses enfants que sa femme a été longuement malade. Depuis la mort prématurée de ses parents, il a donc lutté avec courage et sans se plaindre. La réussite sociale de ses enfants est pour lui une source manifeste de satisfaction après une vie méritante. Un événement en apparence banal — une accusation infondée — est venu faire échec à ce sentiment de juste retour des choses.

Peu de temps après nos premiers entretiens, Hervé est hospitalisé à la suite d'un malaise accompagné de sensations d'étouffement et de douleurs. Le diagnostic de crise d'angoisse est porté après plusieurs examens. Il reste hospitalisé deux semaines. Ce séjour l'apaise beaucoup, tout comme le traitement à visée anxiolytique qu'il commence. Lui qui habituellement s'exprime peu revient longuement sur son histoire dont il livre avec émotion, ce qu'il n'a pas l'habitude de faire, les moments difficiles aussi bien qu'heureux. Il a le sentiment que « quelque chose s'est libéré en lui ». Après que je l'ai revu un peu plus tard, cette amélioration se confirmera. S'il se sent encore un « peu en retrait », Hervé a l'impression qu'il est en train de « retrouver une ligne conductrice à sa vie ».

Les démissions

Évidemment, cette notion, synonyme de renoncement, ne correspond à aucune terminologie psychopathologique. Pourtant, un certain nombre de comportements peuvent être regroupés sous cette dénomination : ils se manifestent sous la forme d'un refus plus ou moins délibéré de toute relation avec autrui. C'est une sorte de « bouderie » existentielle où l'on s'enferme dans son monde intérieur et où l'on démissionne de sa vie. Comme la morosité et l'ennui, cette démission peut se comprendre comme une lutte douloureuse contre la dépression dont elle atténue la composante anxieuse. Conformément au modèle dessiné par Balint, elle peut évoluer, avec le temps et la réflexion, soit vers la « régression maligne », véritable mode d'existence, soit vers un nouvel élan progressif [12].

Cette attitude de démission n'est pas sans rappeler le « syndrome de désinvestissement » chez la personne âgée, où le sentiment d'inutilité et la perte de motivation constituent un « véritable conditionnement à l'inhibition [13] ». La grande différence réside dans le fait que l'adulte au midi de la vie possède davantage de possibilités pour se réinvestir. Toutefois, au moment de la crise, face au désarroi parfois durable qui s'installe, l'adulte ne perçoit aucune solution et ne trouve d'issue que dans sa propre mise à l'écart.

Joëlle, 48 ans, divorcée, a passé quatre ans quasiment seule avec ses chiens, ne sortant que pour quelques courses d'utilité courante et ses entretiens psychothérapiques.

Tout commence quand ses deux fils partent pour l'étranger pour des raisons professionnelles. Elle profite alors d'un licenciement économique pour interrompre toute activité professionnelle. Depuis longtemps, son métier est devenu un carcan. Elle ne supporte plus les conflits entre ses collègues et avec son patron. Vers la même période, elle décide aussi de rompre avec sa mère qui l'a toujours rejetée par rapport à ses sœurs : « À 45 ans, décrète-t-elle, j'estime que je n'ai plus à la subir. »

Malgré une situation financière modeste, Joëlle ne cherche pas à retravailler : « À mon âge, je risque de retrouver les mêmes sources d'insatisfaction. » Elle continue dans un premier temps à voir quelques amis puis, à la suite d'une querelle banale avec l'un d'entre eux, commence à se « lasser des relations humaines ». Un coup décisif semble être porté quand elle se propose d'aider une voisine très âgée, dont la déchéance physique la révulse : « Je me suis vue vieille... Je me suis mise à détester les vieux et la vieillesse. » Elle se décide alors pour un lifting. Le résultat la satisfait sans pour autant l'empêcher de poursuivre sa « retirance ». « Les appels fréquents de mes enfants me suffisent, explique-t-elle. Leur réussite me fait plaisir — elle est allée les voir une fois, ce qui a paru momentanément la réconcilier avec la vie. Mes voisins ne sont pas désagréables, mais je n'ai rien à leur dire. Du reste, ils sont discrets, ce qui m'arrange. Mon boucher est un type plutôt drôle. C'est surtout avec lui que je parle. » Pour le reste, le cinéma ne l'intéresse guère, la lecture non plus. Elle communique de temps en temps sur Internet avec des inconnus, mais c'est tout.

Au bout de ces quatre années, à l'occasion d'un voyage en République dominicaine avec son fils, Joëlle retrouve un certain intérêt pour les relations humaines à travers un couple de l'île, avec lequel elle reste en contact après son retour. Cette amitié nouvelle et exotique va-t-elle lui permettre de réinvestir son existence ? Va-t-elle partir vivre là-bas comme elle semble l'envisager ? C'est, du moins, ce que laisse sous-entendre sa carte postale envoyée de Saint-Domingue.

Les « nostalgies »

Nous avons déjà évoqué les nostalgies parentales au moment où les enfants quittent le nid familial ou perdent tout simplement leur statut d'enfants. Cette forme de nostalgie n'est, toutefois, pas la seule rencontrée autour de la quarantaine.

La mi-vie est une période fondamentalement nostalgique. La nostalgie qu'on éprouve alors n'est pas la rêverie telle qu'elle a été chantée par les poètes et les musiciens et où le regret du passé n'affecte pas en profondeur la vie psychique [14]. Elle s'apparente plutôt à un sentiment qui infiltre durablement la vie affective et l'humeur, et qui renvoie au déracinement, à l'éloignement, à la séparation sentimentale d'avec les personnes chères. Elle confine même au pathologique lorsqu'elle entraîne le dégoût du présent et l'impossibilité à l'investir dans une réaction proche de la dépression, selon des frontières mal délimitées, ou franchement dépressive.

Le nostalgique vit dans le passé, s'y complaît, l'idéalise. Cette idéalisation sera d'autant plus lourde de regrets que le passé a été transformé par le souvenir et que le présent est vécu comme source de difficultés et d'insatisfactions. Comme l'écrit Jankélévitch, « ce n'est pas le regrettable qui est regretté, c'est le fait arbitraire déraisonnable et même irrationnel, de la passéité en soi. Mais la nostalgie diffère du désespoir, car elle oppose au découragement du temps qui passe et de l'irréversible, les attitudes de résistance, de consentement et même de complaisance [15] ».

Les versions mixtes

Morosité, démission, nostalgie : la distinction entre ces différents états, si elle peut paraître arbitraire dans la mesure où tous se rapprochent de l'ennui[16], renvoie dans les faits à la prédominance de l'un ou l'autre élément dans la crise qui survient à mi-vie, ce qui n'exclut évidemment pas une combinaison des trois. On trouve ainsi un bel exemple d'association dans le personnage principal du film, inspiré du roman de Jean-Paul Dubois, *Kennedy et moi*. Jean-Pierre Bacri, *alias* Samuel Polaris, y campe un quadragénaire désabusé, renfermé et boudeur, qui passe ses journées chez lui à ne rien faire, l'air ailleurs mais très présent justement par ses absences en famille[17]. Il offre l'image d'une rébellion passive contre les « plans de carrière », les « adultères minables » et les « prétentions des êtres humains normaux » qui l'entourent, y compris ses enfants.

Écrivain, Samuel a arrêté d'écrire et mène une vie morose. Il sait que sa femme le trompe avec un médecin qui exerce dans la même clinique qu'elle et qu'il considère comme un modèle de réussite sociale et de médiocrité humaine associées. Anna, son épouse, elle-même en pleine remise en question personnelle, ne serait-ce que par l'indifférence de son mari, découvre un jour que Samuel a acheté une arme à feu. Peu de temps après, elle doit le récupérer au commissariat de police après qu'il a fait scandale dans la salle d'attente d'un dentiste prétentieux et méprisant, qu'il a agressé physiquement et mordu sauvagement. Autour de ces événements, le couple, très lentement, se rapproche et finit par se retrouver tandis que Samuel peut, enfin, se remettre à l'écriture.

Tout au long de cette tranche de vie, Samuel, à l'insu des siens, a entamé une psychothérapie et s'est trouvé lié par une sombre histoire de montre, celle que le thérapeute touche en permanence dans sa poche et qui aurait appartenu à J. F. Kennedy. Il n'aura de cesse de voir cette montre puis décidera de l'extorquer, sous la menace, au thérapeute. Le vol de l'objet aura d'ailleurs lieu au moment où il retrouve le sens de sa vie : « Je ne suis pas un cambrioleur, explique-t-il pour finir, mais un homme pressé de fuir son passé, qui fonce vers une nouvelle vie. »

Le héros de *Kennedy et moi* est emblématique du malaise dépressif, plus ou moins profond, qui accompagne souvent la CMV :

— *Il fait le bilan de sa vie et ne lui trouve aucun sens :* « J'ai quarante-cinq ans et je ressens cette pénible impression de n'avoir plus aucune prise sur la vie. J'ai fait fausse route, je me suis trompé quelque part. En fondant une famille. En écrivant. En m'habillant n'importe comment. »

— *Il a rêvé de s'évader ou de changer de vie :* « Souvent, j'ai eu la tentation de quitter la maison pour ne plus y revenir. Partir un matin, sans rien dire, avec trois fois rien, rouler vers le Sud, choisir un nouveau nom, louer une chambre, tout oublier, peler la mémoire jusqu'à l'os du crâne et recommencer une petite histoire d'homme avec juste ce qu'il faut de courage et de liqueur séminale. »

— *L'adolescence de ses enfants alimente chez lui des sentiments hostiles :* « Je désirais un fils et j'ai eu deux abrutis. Leurs conversations toujours menées dans un misérable sabir technologique sont consternantes. Ces gosses n'ont aucun esprit critique et semblent tout ignorer du doute et de l'angoisse. Il y a longtemps que je ne les aime plus... Sarah n'est guère différente de ses frères. Son approche mécaniste de l'existence, sa cupidité, sa prétention, la manière dont elle rudoie ses petits amis la rendent détestable. Le jour où elle m'a annoncé qu'elle se lançait dans la dentisterie, j'ai compris qu'elle était bien la sœur des deux autres. Comment peut-on à vingt ans prendre la décision de consacrer sa vie à curer des caries ? »

— *Il est démissionnaire :* il n'a plus rien écrit depuis une émission littéraire télévisée où, en direct, il a refusé de répondre aux questions avant de se lever en poussant un cri interminable : « J'étais assis sur mon siège, immobile, calme, buté, et je laissais fondre les mots dans ma bouche... Depuis ce jour, je n'ai plus écrit une ligne, ni rencontré un quelconque représentant de ce métier. »

— *Il est morose :* « Je n'ai plus de pensée véritablement suivie. Sans doute parce que ma vie n'est plus qu'une succession de saynètes ternes et négligeables. J'existe par fragments, par moments. »

— *Enfin, il est nostalgique, à sa façon, de l'union familiale :* « Il y a bien longtemps que nous ne formons plus ce que l'on appelle une famille. Aujourd'hui encore, singeant l'image et les habitudes du troupeau, nous mangeons ensemble à heures fixes. Le reste du temps, nous nous ignorons comme des gens dont la seule dignité consisterait à faire semblant de ne pas voir ce qu'ils sont devenus. »

LES AUTRES VISAGES DE LA CRISE

Comme nous l'avons déjà indiqué, les manifestations pathologiques qui entrent dans le cadre de la CMV, si elles ne prennent pas l'allure d'une dépression, constituent néanmoins un système défensif contre l'angoisse dépressive. Voyons-en les principales.

Une euphorie excessive

Il existe des états, de survenue assez brutale, qui se caractérisent par l'exaltation euphorique et ludique de ce que l'on nomme communément le moral. On constate alors un niveau plus ou moins élevé d'agitation et une accélération de la pensée, lesquels se traduisent par des projets très optimistes, voire inadaptés à la réalité. Ces états, appelés « crises de manie aiguë », sont l'expression inverse de la dépression : autant le déprimé est triste et ralenti, autant le maniaque se remarque par sa gaieté ludique et sa rapidité.

La manie aiguë a depuis longtemps été interprétée comme un processus de défense contre la dépression — Freud, déjà, parlait du « triomphe du Moi[18] » sur la dépression. À mi-chemin se situent les états mixtes qui se distinguent par la prédominance de l'aspect dépressif ou euphorique. Plus qu'une manie aiguë, c'est souvent cette forme mixte qui accompagne la CMV. Annie nous en donne une belle illustration.

Quelques mois après une intervention chirurgicale pour l'exérèse d'une tumeur qui s'est révélée bénigne, cette femme de 47 ans commence à être plus expansive que d'habitude et plus active. Elle invite beaucoup de monde à la maison, se montre volubile en société et se laisse volontiers griser par l'alcool.

Son mari, d'abord content de la voir si enjouée après une période d'anxiété, finit par trouver ce nouveau rythme fatigant, d'autant qu'Annie devient facilement irritable lorsqu'il la contrarie dans ses plans. La situation reste supportable jusqu'à ce que sa femme effectue sans prévenir une réservation pour un voyage dont il n'était nullement question. Devant sa violente opposition à ce projet, Annie s'effondre. Elle présente un paroxysme d'agitation tout en exprimant un désarroi total.

Après une nuit d'insomnie, une hospitalisation s'avère nécessaire, qu'elle accepte avec un soulagement inattendu.

Une fois apaisée, Annie exprimera de longues interrogations anxieuses sur l'existence en général et sur la sienne en particulier. Par-delà le contrecoup tardif lié au succès de l'opération chirurgicale qu'elle a subie, l'exaltation d'Annie a servi à endiguer le souvenir de sa mère décédée, à son âge, d'une tumeur cancéreuse et à contenir sa propre peur de devoir, elle aussi, bientôt « abandonner » sa fille.

Une anxiété envahissante

L'anxiété, qui accompagne presque toujours, à des degrés divers, la dépression, peut aussi s'exprimer seule ou occuper le terrain de façon prédominante. Sensation permanente d'insécurité, d'appréhension ou de tension intérieure retentissant sur le sommeil ou bien anxiété fixée sur des situations spécifiques — attaques de panique, phobies, troubles obsessionnels compulsifs — sont autant de manifestations susceptibles de se déclarer comme dans toute rupture d'équilibre existentiel. L'histoire de Martine le montre parfaitement.

Au terme d'une année de malaise, Martine, 43 ans, finit par consulter pour ce qui se révèle être un trouble obsessionnel compulsif. Obsédée, à la suite d'une gastro-entérite sévère, par la crainte d'une contamination alimentaire, elle a développé depuis plusieurs mois des rituels de plus en plus stricts et invalidants pour ne pas rompre la chaîne du froid. Un énorme gaspillage s'ensuit puisqu'elle jette au moindre doute des produits surgelés à peine achetés.

Une thérapie centrée sur ces symptômes, avec aide médicamenteuse, va, dans un premier temps, améliorer les rites et les idées obsédantes. Une autre approche psychothérapeutique est ensuite essayée, orientée cette fois sur la situation de détresse qui a fait le lit de cette éclosion obsessionnelle : départ de sa fille unique ; confrontation avec un mari lui-même déçu de sa vie professionnelle ; solitude, etc.

Un traitement médicamenteux peut-il être utile ?

Comme les antidépresseurs, d'autres médicaments, en particulier anxiolytiques et somnifères, peuvent être nécessaires pour apaiser des symptômes anxieux.

Apaiser une angoisse inutile qui s'auto-entretient et restaurer le sommeil sont des mesures salutaires permettant de rompre ces circuits autodestructeurs. Contrairement à ce qu'on pense souvent, ces médicaments ne font pas sombrer dans la dépendance ou n'empêchent pas d'être soi-même. À condition d'être prescrits sur une période limitée et avec un indispensable accompagnement psychologique, ils peuvent, au contraire, favoriser une meilleure participation à cet accompagnement.

Ivresses et comportements déroutants

Des comportements inhabituels peuvent apparaître au grand jour. Parmi les plus préoccupants, citons les addictions, les conduites délictueuses.

➤ Les conduites toxicomaniaques

Deux produits sont tout particulièrement liés à la CMV : l'alcool et les substances *amphetamine-like* comme la cocaïne.

— *L'utilisation de la cocaïne* pour ses vertus euphorisantes et dynamisantes. Sur le plan médical, elle constitue rarement un motif de consultation en elle-même, peut-être parce que, contrairement à d'autres drogues psychotropes comme l'héroïne ou le LSD, elle retentit moins sur la vie physique et psychique des consommateurs. Lorsqu'il y a demande de sevrage, c'est le plus souvent pour une ou plusieurs toxicomanies associées, en particulier alcoolique ou médicamenteuse. Si son abus concerne surtout la tranche des 18-30 ans, elle peut attirer le quadragénaire en mal de jeunesse et de sensations agréables en raison de son fort pouvoir euphorisant.

— *L'alcoolisme*. Les psychiatres ont longtemps établi une distinction entre l'alcoolisme primaire et l'alcoolisme secondaire, ce dernier survenant à la suite d'une dépression volontiers masquée. L'alcoolisme qui débute autour de la quarantaine, ou après, est en général discret, mondain ou solitaire. Là encore, c'est pour ses qualités faussement anxiolytiques et euphorisantes [19, 20] qu'il est consommé, avec un risque de dépendance identique aux autres âges. Selon certains [21, 22], la primauté de la dépression dans l'alcoolisme est plus fréquente chez la femme que chez l'homme avec sur ce point des explications non univoques.

➤ Les comportements délictueux

La CMV est-elle un facteur important de décompensation ? Certaines observations le laissent penser, telle cette femme de 45 ans qui, dans le cadre d'un épisode d'allure dépressive, a développé une kleptomanie sur deux ou trois ans. Le besoin compulsif de voler des objets qu'elle conservait sans forcément les utiliser — parfums, lingerie, accessoires de beauté — s'associait à des conduites alimentaires boulimiques. Ces troubles du comportement s'inscrivaient eux-mêmes dans le cadre de multiples séparations, puisqu'ils correspondaient au moment où son mari et ses enfants avaient décidé, chacun pour des raisons différentes, de ne plus subir son autorité agressive.

Après plusieurs épisodes dépressifs répétés ayant nécessité une hospitalisation, cette quadragénaire s'est adaptée progressivement à une vie solitaire. Ces comportements pathologiques ont aujourd'hui totalement disparu.

Autre illustration possible : celle d'un « attentat à la pudeur » par un homme de 43 ans, sans antécédent connu de ce type arrêté pour flagrant délit d'exhibitionnisme. Cet homme, de niveau intellectuel limité et aux possibilités d'élaboration psychique de ses conflits faibles, exprimait à sa façon sa difficulté à faire face au désintérêt sexuel de sa femme et à l'agressivité d'un fils adolescent opposant et violent.

Si les travaux américains sur la CMV n'évoquent pas cet aspect particulier, voici ce qu'écrivait, en revanche, un journaliste écrivain[23] féru de sociologie en 1967 : « L'adolescence, tout le monde s'en occupe, mais l'homme de quarante ans ? S'il n'est pas devenu un consommateur intensif de gadgets habitué des saunas et virtuose de la note de frais, s'il n'a pas quadruplé son pouvoir d'achat en quinze ans, eh bien, il est déboulonné de son piédestal dans l'Olympe des représentations sociales. Il n'est plus rien, la maturité n'est plus un privilège, c'est un handicap. De là à basculer dans la délinquance il y a une marge, mais qui n'est pas infranchissable. Il n'existe pas encore une délinquance spécifique de la quarantaine, mais l'on commence à en deviner les prodromes... »

Quand le corps parle

C'est quelquefois dans le corps que s'inscrit la crise, principalement à travers deux types de troubles, psychosomatiques et hypocondriaques.

➤ Les maladies psychosomatiques

Globalement, le discours scientifique actuel manifeste une désaffection vis-à-vis de la médecine psychosomatique. Le terme même a pratiquement disparu des classifications des troubles psychopathologiques. Rappelons toutefois les quelques maladies qui continuent encore aujourd'hui d'être perçues comme psychosomatiques. Il s'agit de :
— l'ulcère de l'estomac ou du duodénum,
— certaines dermatoses, tels le psoriasis ou l'eczéma,
— certaines hypertensions artérielles labiles,
— l'asthme,
— les migraines,
— certains accidents cardiaques.

Les interrogations concernent la causalité de ces maladies, dont le caractère somatique existe bel et bien, mais dont la survenue paraît étroitement liée au contexte psychologique. Elles surviennent en effet dans des situations de tension, d'incertitude ou de désarroi. N'importe qui ne développe pas une maladie psychosomatique dans ce type de situation. L'École psychosomatique de Paris[24] a même décrit une personnalité psychosomatique, caractérisée par une vie imaginaire et une créativité appauvries au profit de ce que l'on appelle la pensée opératoire, organisée essentiellement autour de l'utilité et de l'efficacité et exposant à des réactions émotionnelles violentes face à des situations nouvelles.

Des travaux sur les événements de vie ont également décrit des profils psychologiques favorisant certaines maladies somatiques. Ainsi, dans les maladies coronariennes, le type psychologique se définit comme hyperactif, hyperinvesti dans son travail, éprouvant un sentiment constant d'urgence et incapable de prendre du repos ; un autre type plus réfléchi, plus patient, mais réprimant son agressivité, prédisposerait aux affections cancéreuses et auto-immunes[25].

Ces troubles se rencontrent ainsi dans des situations de deuil, mais également de promotion professionnelle ou de responsabilités professionnelles accrues. L'ulcère d'estomac, par exemple, a pu être considéré comme un « véritable signe de réussite sociale [26] »... Ce serait la maladie des chefs d'entreprise à succès lorsque, pour des raisons inconscientes, ils ne sont pas satisfaits au fond d'eux-mêmes de cette réussite-là ou que, inconsciemment toujours, et malgré une estime de soi en apparence bonne, ils ne se sentent pas à la hauteur.

➤ Les manifestations hypocondriaques

La caractéristique principale de l'hypocondrie consiste en la crainte ou l'idée d'être atteint d'une maladie grave. Cette crainte, alimentée par la présence d'un ou plusieurs symptômes physiques, persiste malgré les examens médicaux : même si aucune affection médicale n'est identifiée, l'inquiétude reste ou se renouvelle après s'être momentanément apaisée, ce qui conduit à multiplier les demandes de consultations et d'examens complémentaires. Une lecture, la survenue d'une maladie dans l'entourage, le moindre « événement » corporel, peut mettre en route le processus.

Or l'âge de prédilection de l'hypocondrie est l'âge adulte [27]. Certains auteurs sont même plus précis : « L'hypocondrie survient surtout au moment de l'âge critique, autour de la quarantaine, favorisée par les phases dépressives, fréquentes à ce stade de la vie où il n'est plus possible de changer le cours de son existence [28]. » Si ce constat n'assimile pas l'hypocondrie à la CMV, un certain nombre de manifestations peuvent en revanche trouver leur expression dans ce registre psychopathologique et transformer un individu jusque-là dynamique en un malade imaginaire à la Molière. Ajoutons pour conclure que, plus que les autres troubles, l'hypocondrie, quels que soient les abords thérapeutiques, a tendance à se chroniciser.

Docteur, suis-je hypocondriaque ?

Il arrive à chacun d'entre nous de s'inquiéter pour sa santé, à l'occasion d'un trouble quelconque : malaises, vertiges, maux de tête, palpitations par exemple. Cela ne fait pas de nous des hypocondriaques. Le plus souvent, ce type de préoccupation inquiète s'explique par une anxiété associée ou une fatigue liée à des événements de vie.

L'un des critères de diagnostic de l'hypocondrie est d'ailleurs celui de la durée, fixée à six mois dans la classification du DSM IV. En effet, un hypocondriaque, même si les examens sont rassurants, se préoccupe de façon chronique de l'analyse et de l'exploration de ses moindres troubles. Ce type de focalisation ne manque jamais de retentir sur l'entourage familial, qui finit par se lasser et s'irriter, et sur la vie relationnelle en général, quand ce n'est pas sur le développement professionnel en cas d'absentéisme répété.

FAIRE FACE

On pourrait évidemment répertorier bien d'autres manifestations psychopathologiques liées à la CMV puisque celle-ci, comme toute crise, témoigne de la rupture d'un équilibre individuel. Il nous paraît plus important, à ce stade, d'insister sur quatre points pour prévenir les malentendus et éviter les amalgames abusifs.

1. *En aucun cas, la CMV ne représente une étiquette diagnostique* que l'on pourrait apposer sur des troubles au milieu de la vie, encore moins une cause. À travers ses aspects multiformes, elle joue un rôle de révélateur, dévoilant pour un

temps plus ou moins long ce qui, jusque-là, était invisible ou contenu.

2. *La CMV ne constitue d'aucune façon une catégorie « fourre-tout »* où ranger tous les troubles psychiques du milieu de la vie. Certaines maladies psychiques débutent parfois tardivement à cette période : c'est le cas, par exemple, de la maladie maniaco-dépressive ou bien de certains délires chroniques, sans doute pour des raisons biologiques et génétiques.

3. *Le midi de la vie est une période où certains troubles qui existaient déjà peuvent s'aggraver.* Il est probable, dans de nombreux cas, que l'impact silencieux et peu apparent de la CMV contribue à une flambée transitoire de ces troubles préalables.

4. *Le midi de la vie est une période où d'autres manifestations pathologiques s'apaisent.* Rien n'exclut donc que la seconde partie de l'existence soit plus réussie, de ce point de vue-là, que la première...

Quand et pourquoi consulter un psychothérapeute ?

S'orienter vers une psychothérapie n'est pas toujours facile. De nombreux préjugés persistent à cet égard : craintes que cela ne dure des années, peur d'en devenir dépendant, peur d'en sortir encore plus perturbé... Ces résistances, compréhensibles, nécessitent pour être surmontées l'établissement d'un lien de confiance sans lequel aucun résultat solide ne peut être obtenu, à court ou à moyen terme.

En outre, une crise a souvent un rôle de révélateur du fonctionnement individuel, dévoilant des aspects cachés ou, jusque-là, inexprimés. Ainsi, les personnes qui apparaissent comme des modèles de maîtrise de soi — on utilise le terme d'« hyperadaptation » pour qualifier ceux qui font face à des situations difficiles sans laisser transparaître le moindre signe de déstabilisation émotionnelle ou affective — peuvent tout à fait, un jour ou l'autre, se retrouver dans une situation de crise personnelle psychologique. Il y a alors de forts risques que celle-ci se manifeste par des troubles bruyants, d'autant plus surprenants pour l'entourage qu'ils surviennent chez quelqu'un en apparence « normal », voire « hypernormal ».

S'il n'est pas question ici de développer les différents types de personnalités ou de caractères qui font l'objet de classifications en psychologie et en psychiatrie, il faut néanmoins savoir que le profil présenté va conditionner la prise en charge thérapeutique. Un psychothérapeute, qu'il soit psychiatre, psychanalyste ou psychologue, n'intervient pas de la même façon selon qu'il a affaire à une personnalité dépendante, narcissique ou histrionique.

Dans de telles conditions de respect et de confiance mutuels, l'aide d'un psychothérapeute se révèle souvent décisive en cas de difficultés à surmonter, seule ou avec un traitement médicamenteux, les manifestations de la crise. Mené en collaboration avec le thérapeute, ce travail va permettre prioritairement :

— *D'accepter la réalité de la crise et sa traduction par des manifestations de nature psychique*, ce qui évite l'aggravation ou la chronicisation des troubles.

— *De reconnaître précisément l'importance et la signification des troubles liés à la CMV*, puisque ceux-ci peuvent aussi bien constituer les prémices d'une évolution défavorable que le point de départ d'une remise en question salutaire.

Quelles sont les grandes formes de psychothérapie ?

L'alternative n'a longtemps existé qu'entre la psychanalyse et des thérapies de soutien sans grande spécificité. Aujourd'hui, le champ s'est élargi, avec l'apparition de nouvelles formes de psychothérapies et les formules plus souples de thérapie analytique. De nombreux travaux montrent qu'en général un psychothérapeute recommande plutôt la méthode de l'école à laquelle il appartient, mais c'est avant tout autour de la personnalité du patient que doit se faire l'orientation.

Aujourd'hui prédominent deux grandes familles de psychothérapie aux ramifications nombreuses : les thérapies psychodynamiques classiques ou aménagées et les thérapies brèves structurées, en particulier pour la dépression, dont le courant principal est représenté en France par les thérapies comportementales et cognitives (TCC). Les premières visent à comprendre l'origine des troubles, les secondes à modifier les modes de pensée et les comportements. Le tableau ci-dessous résume leurs caractéristiques respectives :

Thérapies psychodynamiques	Thérapies comportementales et cognitives
Surtout centrées sur le passé, ou sur l'interface passé-présent.	Surtout centrées sur l'ici et maintenant.
Tournées vers la reviviscence et la compréhension des éléments importants de l'histoire personnelle.	Tournées vers l'acquisition de compétences à gérer les difficultés actuelles.
Thérapeute à tendance non directive.	Thérapeute à tendance directive.
Objectifs et durée non déterminés.	Objectifs et durée déterminés.
Objectif principal : modification de la structure psychique sous-jacente (ce qui permettra la modification des symptômes et des conduites).	Objectif principal : modification des symptômes et des conduites (ce qui permettra la modification des structures psychologiques plus profondes).

(D'après C. André, 1996.)

Comment se décider pour l'une ou l'autre de ces thérapies ?

Le plus souvent, soit on consulte spontanément en fonction de ses préférences et de son orientation personnelle, soit on y est incité par un médecin. Tout dépend alors des connaissances de ce dernier en matière de psychothérapie et de la personnalité qu'on présente.

Globalement, dans le cas de la CMV, les deux types de thérapies, psychodynamique ou structurée, doivent aider à des aménagements existentiels éclairés par l'expérience passée. Pendant la phase aiguë des troubles, les thérapies brèves structurées sont probablement plus efficaces à court terme, mais elles peuvent déboucher dans un deuxième temps sur une thérapie psychodynamique plus longue. On peut par exemple travailler d'abord sur des schémas de pensée dévalorisants par des thérapies d'affirmation de soi puis, dans un second temps, réfléchir sur les scénarios que l'on reproduit depuis l'enfance. Dans tous les cas, l'accompagnement psychologique dans un cadre thérapeutique est une aide précieuse, car il permet autant que possible de rester, ou de devenir, acteur de son avenir, de saisir la signification de ses troubles et de se servir de ce que l'on est pour les dépasser.

Chapitre VII

Les portes de sortie de la CMV

Nous avons ici choisi de regrouper différentes modalités d'évolution, dont certaines sont de toute évidence plus positives que d'autres. Comme pour toute crise, l'issue de la CMV est éminemment variable : elle peut aller de la destruction à la reconstruction — la « re-naissance » — en passant par diverses solutions intermédiaires.

RUPTURES ET BOULEVERSEMENTS

Le terme de rupture peut prendre des significations différentes : rompre un engagement, une relation, un rythme de vie, mais aussi rompre avec soi-même, avec ses propres engagements... À dire vrai, la rupture est même synonyme de la CMV, elle en fait partie intégrante, sous des dehors voyants ou moins apparents mais qui n'entraînent pas moins des changements.

Disparaître et recommencer sa vie

Certains d'entre nous rêveraient de disparaître et de recommencer leur vie, soit parce qu'ils ont le sentiment de ne pas vivre tout à fait la leur, soit parce qu'elle leur est insupportable. Une agence italienne un peu spéciale leur proposait il y a quelques années ses services... « Signor Umberto : disparition assurée. » Tel était le titre d'un article du *Nouvel Observateur*[1] en 1992 : la journaliste Marcelle Padovani y rendait compte de l'ouverture récente d'une agence milanaise tout à fait officielle (l'Alliance nationale pour une expatriation heureuse) spécialisée dans la « disparition volontaire organisée ». À sa tête, Umberto Gallini, 48 ans, grand voyageur, affichait des slogans évocateurs : « Payez-vous une deuxième vie », « Partez sans laisser de traces », « Fuyez, c'est votre droit ». Moyennant 2 000 F à l'époque, soit 335 € d'inscription et le prix du billet, et à condition de disposer d'une somme correspondant de nos jours de 152 à 380 € par mois, le signor Umberto, grâce à ses correspondants dans divers pays exotiques, organisait non seulement un aller simple, mais une nouvelle vie en fonction des aspirations de ses clients.

Qui étaient donc ces clients ? Des hommes à 80 %, âgés de 45 à 60 ans. Des gens en pleine crise, familiale ou professionnelle. Des petits industriels au bord de la faillite (mais aussi des cas sociaux ou psychiatriques), des individus mal à l'aise dans leur rôle social. Sans doute, parmi eux, des « CMVistes » qui avaient eu le courage, ou l'inconscience, de tout quitter, seule solution parfois désespérée pour échapper à la désillusion, au découragement ou au poids de la vie.

L'article en question ne donnait pas de précisions sur le devenir des clients de cette « agence de disparition », ouverte depuis six mois à peine. En revanche, récemment, dans *Partis sans laisser d'adresse*[2], H. Prolongeau, journaliste et auteur de romans policiers, a cherché à savoir ce que devenaient une trentaine de « perdus de vue » (ils seraient près de quinze mille en France chaque année). Parmi les résultats de son enquête, deux nous intéressent plus précisément. Tout d'abord la majorité de ces « fugueurs » ne sont pas des enfants ou des adolescents, mais des adultes aux prises avec une crise de la quarantaine. Ensuite et surtout, le bonheur n'est pas au rendez-vous de la fuite : pas un seul n'est satisfait de sa nouvelle vie, et beaucoup aimeraient, sans oser le faire, revenir en arrière. Comment ne pas penser, devant ce résultat, à un équivalent ou à une alternative désespérée au suicide — ce que paraît conclure l'auteur ?

Le suicide constitue, en effet, l'autre façon en principe radicale de disparaître. Les études épidémiologiques par tranches d'âge montrent que, chez la femme comme chez l'homme, les taux les plus élevés concernent en premier lieu la tranche 45-54 ans, puis celle des 55-64 suivie par celle des 35-44 ans[3]. Parmi les troubles psychiatriques, les troubles dépressifs dont on connaît la fréquence dans ces mêmes tranches sont classiquement les plus grands pourvoyeurs de suicide, et des études récentes ont montré également la prévalence élevée des troubles anxieux, souvent associés aux précédents[4]. S'il est actuellement admis que la majorité des suicides relève d'un trouble psychopathologique, celui-ci n'est pas toujours identifié comme tel, ne donne pas lieu à des soins, et c'est alors le suicide « inaugural », inexplicable pour l'entourage qui n'a rien pu voir venir.

Pas plus que dans la littérature, sauf pour le comte de Monte-Cristo (voir encadré), les ruptures aussi radicales dans la vie réelle ne sont des solutions enviables. Le bonheur est rarement au rendez-vous de l'aventure. Partir pour fuir revient en général à emmener son mal-être avec soi.

Les disparitions « littéraires »

Le thème de la disparition pour commencer une vie nouvelle apparaît de façon récurrente dans la littérature. Balzac l'aborde dans *Les Illusions perdues* à travers le personnage de Lucien de Rubempré. Ce jeune homme — un peu jeune pour une CMV — songe par désespoir à se jeter dans une rivière pour en finir avec sa vie, quand une calèche s'arrête. Le voyageur, après l'avoir réconforté, le tente en lui proposant une sorte de pacte, et voilà Rubempré lancé, pour un temps, dans le grand monde parisien... Alexandre Dumas, avec la vengeance d'Edmond Dantès, reprend le thème. Passé pour mort après son évasion du château d'If, Dantès renaît à une autre vie, triomphante, sous l'identité du comte de Monte-Cristo et se venge de ceux qui l'ont fait enfermer.

Plus récemment, dans *Je m'en vais*[5], Jean Echenoz confronte deux personnages, marchands d'œuvres d'art, qui disparaissent, chacun à sa manière : le premier quitte sa vie routinière auprès d'une femme au caractère difficile, embarque sur un brise-glace, destination l'Arctique, pour une mystérieuse expédition, et finit par retrouver le second, passé pour mort, qui vit, sous une autre identité, de l'escroquerie d'antiquités. Chacune de leur nouvelle vie est, hélas, aussi médiocre que la précédente.

Les changements radicaux

Xavier Gaullier, déjà cité à plusieurs reprises, estime que le milieu de la vie est « une des reconversions les plus difficiles de l'existence ». Cette reconversion passe par des changements, lesquels s'inscrivent au cœur même de la CMV. Comme toute crise, quelle que soit son évolution, celle-ci entraîne des réaménagements intérieurs et extérieurs, qui font de lui un être ni tout à fait identique ni tout à fait différent. Ils sont plus ou moins tangibles ; certains sont bénéfiques, d'autres destructeurs. Parler de crise du milieu de la vie fait souvent évoquer le rêve d'une existence radicalement différente de ce que l'on a vécu jusque-là. Pourtant, il suffit parfois de modifications parcellaires pour que la vie change en mieux. Les grands bouleversements ne sont pas forcément les plus favorables.

L'un des exemples les plus connus de transformation spectaculaire est celui de l'écrivain Romain Gary. Si l'on ne peut affirmer qu'il a traversé une CMV, sa trajectoire existentielle au milieu de la vie y ressemble fort. Le milieu de sa quarantaine apparaît en effet comme un tournant existentiel majeur sur le plan tant personnel que professionnel. Sa rencontre avec l'actrice Jean Seberg dont il tombe amoureux paraît déterminante. Elle est en pleine gloire. Elle a 21 ans ; lui, 45. Depuis longtemps déjà il songe à quitter sa femme Lesley, plus âgée que lui, brillante, mais qui le bride et ne veut pas d'enfant ; jusque-là pourtant, aucune aventure amoureuse n'a pu remplacer celle qui est à la fois sa femme et sa meilleure amie. « Cette rencontre coïncide avec un changement profond de sa personnalité, à une nouvelle étape de sa vie », écrit sa biographe D. Bona[6]. Progressivement, Gary va rompre avec le protocole et la respectabilité de la vie diplomatique, se consacre à sa carrière d'écrivain et commence avec Jean Seberg une nouvelle vie de bohème.

Auteur à succès, connu pour ses romans dénonçant les mensonges du monde moderne, obsédé par la vieillesse et une impossible quête de son identité, il s'invente, à la fin de la cinquantaine, un double littéraire : Émile Ajar. Sous ce nom, il publie, sans être reconnu par la critique, *La Vie devant soi*, pour lequel il reçoit (une deuxième fois) le prix Goncourt. Le secret de cette nouvelle identité persiste jusqu'à sa mort, mais lui permet de naître une seconde fois, d'exister à nouveau en renouvelant jusqu'à son écriture.

Quelques années après ce succès et peu de temps après le suicide de Jean Seberg, Romain Gary, à 65 ans, se suicide à son tour d'une balle de revolver après avoir estimé qu'il s'est « enfin exprimé entièrement ». Ce geste radical et définitif vient mettre un bémol à ce que l'on pourrait considérer comme une crise du milieu de la vie réussie : parvenir à une re-naissance couronnée de succès, à recommencer pendant près de vingt ans une nouvelle vie. Voici un extrait de la lettre qu'il laisse avant de se donner la mort : « On peut mettre cela évidemment au compte d'une dépression nerveuse. Mais alors il faut admettre que celle-ci dure depuis que j'ai l'âge d'homme et m'aura permis de mener à bien mon œuvre littéraire [7]... » Peut-être faut-il voir dans toute cette histoire une expression du déni dont nous avons déjà parlé. Fils d'un père jamais connu, élevé et adoré par une mère russe pleine d'ambition, déraciné dans sa petite enfance, Romain Gary a sans doute lutté, à travers sa quête identitaire, contre le vieillissement, la mort et la dépression.

Parmi les autres, moins célèbres, qui refont, eux aussi, leur vie, certains réussissent le pari d'une nouvelle donne. En général, ils ont conservé avec ceux qu'ils ont laissés (conjoint, enfants) des liens solides et à peu près harmonieux, tels qu'on peut en rencontrer par exemple dans les familles recomposées aujourd'hui. La conviction au milieu de la vie d'avoir fait un mauvais choix est devenue trop forte pour pouvoir continuer ainsi.

Marina, 50 ans, fait partie de ceux-là. Elle a quitté son mari il y a dix ans et affronté l'opprobre familial et social pour suivre cette conviction : « Nous nous sommes mariés trop jeunes... Il n'y avait plus rien entre nous... J'étais une seconde mère pour lui et je ne voulais plus jouer ce rôle... » Après une aventure amoureuse avec un autre, auprès duquel elle retrouve le même rôle maternel, elle décide de les quitter tous les deux et traverse une période d'intense souffrance psychologique.

Maintenant sereine et remariée, elle considère avoir fait un vrai choix, beaucoup plus réfléchi. « C'est l'homme que j'aurais dû rencontrer plus tôt. Mon seul regret est de ne pas avoir eu avec lui un troisième enfant. »

D'autres, pour des raisons qui leur incombent ou qui relèvent de leur entourage, ne peuvent préserver ce lien et vivent en rupture totale avec leur passé et une partie d'eux-mêmes. Partir pour une autre vie, pour vivre seul ou avec quelqu'un d'autre, ne manque pas de laisser des blessures qui parfois ne cicatriseront jamais, aussi bien chez celle ou celui qui s'en va que pour ceux qui restent. Tracer une croix définitive sur ce qu'on a vécu conduit fréquemment à beaucoup de solitude, d'incompréhension et quelquefois à de tristes fins de vie.

Anne, 44 ans, me parle avec déchirement de l'enterrement de son père qui a quitté la famille quand elle avait 18 ans : il n'y avait presque personne, deux employés seulement de son travail, une vieille cousine éloignée, un couple qu'elle ne connaissait pas et un autre parent éloigné. Contrairement à ses frères plus jeunes, et à sa mère qui n'ont jamais vraiment fait le deuil de son départ, Anne, il y a quelques années, a fait toute seule un pas douloureux vers ce père qui les avait abandonnés pour une autre femme. Elle a pu connaître sa nouvelle vie depuis ce moment-là, stable sur le plan professionnel, malheureux avec cette deuxième femme dont il a fini par se séparer aussi, puis avec une autre décédée dans un accident de voiture. « J'ai réussi à me rapprocher de lui, j'avais besoin d'explications, mais il lui était trop difficile de parler du passé, dit-elle. Il était malheureux, c'est évident. Son père lui-même l'avait abandonné quand il était petit. Je crois qu'il était inapte au bonheur, ou alors qu'il le fuyait. »

« Fuir le bonheur de peur qu'il ne se sauve », comme l'écrit Serge Gainsbourg, est en effet le lot de beaucoup de ceux qui ont vécu dans leur enfance des situations d'abandon (séparation des parents, deuils, placements, mise en pension ou éloignement prolongé). Le milieu de la vie est un moment fécond de crise, qui peut se comprendre par les caractéristiques du « caractère abandonnique[8] » : le doute dans ses capacités à être aimé, la difficulté à supporter le moindre « manque », affectif ou matérialisé dans la réalité, amène à vivre très douloureusement les situations de perte, de deuil ou de séparation mais aussi inconsciemment à infliger aux autres les mêmes frustrations que celles qu'il a subies.

Quand changement rime avec continuité

Il arrive dans la vie que des changements volontaires importants se décident rapidement et entraînent des conséquences bénéfiques : ils naissent de la rencontre entre une opportunité et une aspiration de l'individu à de nouveaux projets.

Au milieu de la vie, il est rare que les changements s'improvisent ; le plus souvent ils se préparent, même si des opportunités se présentent. Parvenu à ce stade de son existence, l'adulte a déjà construit quelque chose, une famille peut-être, une vie professionnelle : il ne peut pas aussi facilement qu'à 20 ans transformer sa vie et changer de direction. Il est tributaire non seulement de son passé, mais aussi de ses proches : sortir des rails entraîne le plus souvent de l'incompréhension de la part des autres et en particulier de son entourage proche. Le changement est aussi un deuil à accomplir, et, lorsque le chemin suivi jusque-là ne convient plus, le choix de prendre une nouvelle direction s'avère plus ardu. Entre la peur de la nouveauté et celle de quitter un terrain connu, même s'il est insatisfaisant, entre petites avancées, reculades et hésitations, le changement au midi de la vie peut nécessiter des détours, des dérapages plus ou moins contrôlés, des passages à vide, en somme différentes formes de crise.

Fabien, 42 ans, qui a quitté le domicile conjugal dont il se sentait prisonnier, ne sait plus ce qu'il doit faire. Pour exprimer ce qu'il ressent, il utilise l'image de l'embarcation au milieu du fleuve : « Je sais ce qu'il y a sur la rive que j'ai quittée, mais je ne connais pas l'autre rive, cela me fait peur, je ne peux ni reculer ni avancer. » Parce qu'il est difficile de s'engager sur un autre chemin, parce qu'ils tentent de respecter ceux qui partagent leur vie et parce que les quitter entraîne un déchirement impossible, beaucoup de ceux qui émergent de la crise optent pour des changements plus partiels.

➤ Changer dans son couple

Pierre, 42 ans, marié depuis treize ans, a pu analyser la situation de crise dans laquelle il s'était perdu depuis près de deux ans et trouver une porte de sortie qui, sans transformer sa vie, semble donner un autre équilibre à son couple.

Après la naissance de son troisième enfant, sa femme non seulement continue de travailler, mais accepte un poste à responsabilités qui la valorise. Chacun s'éloigne de l'autre sans crier gare. Coïncidence ou conséquence, Pierre se sent attiré par une collègue de travail, qu'il connaît pourtant déjà. « Lorsque ma femme l'a appris, elle l'a très mal supporté, moi je me suis effondré avant d'aller plus loin », me confie-t-il. La crise du couple qui s'ensuit est longue, douloureuse et occupe le centre de ses préoccupations. « Je ne savais plus si je l'aimais. Je pensais à partir sans être capable d'évaluer ce choix. Je trouvais qu'il n'y avait plus de rêve dans notre relation. »

Peu à peu dans la tourmente, Pierre prend conscience qu'il s'est senti menacé et abandonné en raison de l'épanouissement de sa femme, alors que de son côté, malgré une réussite tout à fait honorable dans un métier qui continue de lui plaire, il avait de plus en plus souvent une impression de charge à porter et de finitude. L'idée se précise en lui que le problème

La crise du milieu de la vie

ne se situe pas uniquement dans son couple, mais dans sa propre trajectoire existentielle et dans la relative dévalorisation de lui-même depuis plusieurs mois. Fils choyé par une mère dévouée à ses enfants, plus protégé que son frère et sa sœur du fait d'une maladie infantile, il ne veut pas faire de lien entre le décès de celle-ci, qui l'affecte beaucoup, et sa situation de crise actuelle car, dit-il, il ne croit pas trop aux « interprétations psychologisantes ». En revanche, il réfléchit à l'histoire personnelle de sa femme, dans laquelle la réussite prend une signification bien précise et plus importante que pour lui. Analysant ses propres ambitions, il accepte une activité d'enseignement qu'il avait jusque-là refusée. Et parce qu'il retrouve confiance en lui, il peut alors s'intéresser davantage aux activités de sa femme — ce qu'elle lui a reproché de ne pas faire — sans se sentir « la cinquième roue de la charrette ».

Dans cette histoire, Pierre a su percevoir les divergences d'évolution à l'intérieur de son couple et leur retentissement sur l'image qu'il avait de lui-même. Par petites étapes, il a pu retrouver une place auprès de sa femme davantage en adéquation avec ce qu'il est vraiment. Il se trouve que son épouse, qui tient tout autant à l'équilibre familial et au sien personnel qu'à sa carrière, a entendu le message et a, de son côté, remis en question certaines de ses attitudes, certains de ses désirs. D'autres réactions auraient pu soit faire éclater le couple, soit le laisser « en l'état », insatisfaisant pour tout le monde.

Dans un couple qui dure, en effet, les réaménagements réciproques en fonction de l'évolution du conjoint sont à la fois un facteur de crise et une clef pour en sortir. Toutes les « variétés » de couple existent, entre ceux pour lesquels le conflit est un mode de fonctionnement permanent et ceux pour lesquels la vie conjugale se déroule en apparence comme un long fleuve tranquille, en passant par ceux qui ont choisi de ne pas cohabiter, mais, à l'intérieur de chacun d'eux, les deux partenaires évoluent pour leur propre compte, pas forcément dans la même direction ni à la même vitesse.

Au bout d'un moment, il arrive que les aspirations s'éloignent car chacun apporte son histoire personnelle et continue de la vivre individuellement. L'une des difficultés dans la durée est d'accepter que l'autre ne soit plus tout à fait le même, phénomène qui se manifeste tout particulièrement au moment de la CMV. Pour tous, la crise que traverse alors le partenaire ne manque pas de retentir sur l'équilibre conjugal, quelle que soit la nature de celui-ci. L'incompréhension, la distance, le manque de communication, les sentiments de lassitude ou d'enfermement ouvrent la porte aux conflits, à l'envie de nouvelles aventures ou de rupture.

Divorces chez les quadra...

Environ un tiers des divorces a lieu entre dix et dix-neuf ans de mariage (la quatorzième année serait particulièrement dangereuse selon une enquête récente du ministère de la Justice[9]), quand les conjoints ont entre 40 et 50 ans. L'écrivain et théologien québécois Jacques Gauthier, 48 ans, qui rappelle ces chiffres, estime avec raison qu'il existe aussi en quelque sorte une CMV du couple. Marié, père de quatre enfants, il témoigne de sa crise personnelle dans son livre *La Crise de la quarantaine*[10]. Sans doute aussi peut-on le suivre quand il considère qu'un couple ne peut accéder à la maturité qu'en traversant une période critique, généralement entre 35 et 45 ans, qui dans son cas a abouti à une étape de « réconciliation profonde ».

Heureusement, la prise de conscience de ces divergences et, lorsque c'est possible, le rééquilibrage des relations en fonction des désirs de chacun permettent de mettre en place des petits changements salutaires.

➤ Changer dans son travail

Changer de travail lorsque cela est possible, ou changer sa façon de travailler (ce qui n'est pas forcément plus facile) peut constituer un facteur de crise, mais aussi conduire à trouver une voie de sortie de la crise, par exemple en amenant à exprimer davantage son potentiel de créativité ou en aménageant son temps plus harmonieusement.

La conception du travail a changé depuis un demi-siècle. L'air du temps privilégie la qualité de vie par rapport à la quantité de travail et de revenus. Dans cette perspective, des Parisiens partent pour la province ; des urbains quittent les métropoles pour s'installer dans leur périphérie ; le télétravail offre ses avantages à ceux qui souhaitent plus de flexibilité et de tranquillité... Pratiquement tous les journaux français abordent ce thème au moins une fois par an en rapportant les témoignages des convaincus et des déçus. Telle directrice littéraire a ainsi quitté Paris pour créer sa maison d'édition dans le Gard où sont ses attaches et celles de son mari. Après des années d'allers-retours hebdomadaires, tel cadre commercial s'est laissé convaincre par une start-up lyonnaise [11]. Tous n'ont peut-être pas traversé une CMV, mais, si les uns ont cherché à échapper à une charge de travail écrasante, les autres ont eu envie de retrouver des racines, ou de ménager un équilibre conjugal et familial menacé.

Maryse, 42 ans, n'est ni cadre ni parisienne. Elle est salariée depuis quinze ans d'une grande entreprise française. Le moins que l'on puisse dire est qu'elle ne s'y épanouit pas : beaucoup de travail d'accueil téléphonique, beaucoup de mécontentement des consommateurs à absorber, peu de communications avec des collègues aussi insatisfaits qu'elle. Mariée, mère de trois enfants, elle a traversé pendant trois ans une crise personnelle qui s'est traduite par plusieurs épisodes dépressifs récurrents. Aidée par une psychothérapie, et par un traitement médicamenteux, elle s'est affirmée, dans son couple et dans ses choix en général. Cela l'a amenée à demander (et à obtenir) un changement de poste, mais surtout à essayer de réaliser un rêve : depuis longtemps passionnée de lecture et par tout ce qui touche au livre, Maryse s'est inscrite à un concours pour accéder à un travail de bibliothécaire. Elle a mesuré ce que la préparation allait ajouter à son travail quotidien. Elle sait qu'elle peut échouer, mais le plus important pour elle est de le tenter, quel que soit le résultat.

Comme dans le cas de Maryse, le changement dans un domaine, particulier mais important, de la vie ordinaire — ici le travail — peut devenir une conséquence salutaire de la crise. Trouver en soi-même et non à l'extérieur une dynamique de changement est une des façons les plus positives de sortir de la CMV.

TOMBER MALADE

La CMV peut aboutir à des changements, quelquefois brutaux, plus souvent progressifs. Il faut parfois de longs mois, voire quelques années, qui paraissent interminables à celle ou celui qui les traverse, pour retrouver sa voie. Dans certains cas, il faut même passer par une maladie. Nous en avons décrit les principaux aspects psychopathologiques aigus au chapitre précédent ; elle peut se prolonger durablement.

La maladie-refuge

Il arrive que le quadra en crise, débordé par les sentiments de finitude, de désillusion, de pessimisme face à l'avenir, ne trouve d'autre « solution » que de se réfugier dans la maladie, de s'y enfermer malgré lui pour quelque temps ou pour long-temps. Beaucoup des troubles d'allure dépressive que nous avons évoqués sous le terme de « démission » entrent dans ce cadre de maladie-refuge. Le statut de malade vient remplacer pour une durée indéterminée une identité défaillante, et témoigne de l'incapacité dans la tourmente de prendre quelque distance vis-à-vis de soi-même. L'hypocondrie, elle aussi, appartient à ce registre, refuge ou écran contre des conflits intérieurs inexprimables autrement. Enfin, on retrouve les dépressions chroniques ou résistantes, qui font toujours couler beaucoup d'encre car elles posent un problème réel quant à leur définition et surtout à leurs thérapeutiques. Après quatre à six semaines de traitement antidépresseur prescrit à dose suffisante, les symptômes persistent, malgré l'augmentation des doses ou le changement thérapeutique, et, malgré l'aide psychothérapique, le patient s'enfonce dans la détresse, la rumination morbide et parfois l'incommunicabilité. On sent bien qu'au-delà du traitement médicamenteux, de la biologie de la dépression, quelque chose se joue dans la dynamique psychique intérieure qui empêche de sortir de la maladie.

Tous les psychiatres connaissent ce type de patients, qui entre 40 et 50 ans, avant l'âge de la vieillesse, commencent une sorte de « carrière psychiatrique », faite d'hospitalisations répétées, de retrait hors de la vie devenue insupportable. Telle est bien l'allure désespérante que peut prendre la CMV. Un jour ou l'autre, sans que l'on sache toujours pourquoi, comme si un déclic s'était produit, les symptômes se tarissent, et la vie reprend son cours, ni pire ni meilleure, souvent sous une forme de résignation vers la vieillesse.

La maladie créatrice

Au contraire, dans d'autres cas, cette maladie peut aboutir à un nouvel élan de créativité existentielle. Les relations entre dépression, deuil et créativité ont toujours passionné beaucoup de psychiatres et de psychanalystes. Les « deuils » au sens large ne sont pas forcément ceux d'une personne, ils sont aussi ceux d'un rêve perdu. Au midi de la vie, ils concernent entre autres la perte de personnes proches, parents ou amis, mais aussi celle des idéaux qui n'ont pas été atteints, celle de la jeunesse et de ses illusions, celle des nouveaux projets. Tandis que l'angoisse se réfère à l'avenir, la dépression, comme la tristesse, est déclenchée par un sentiment d'inadéquation face à ce que nous avons été et avons possédé, en comparaison avec ce que nous sommes devenus et ce que nous avons perdu.

Pour les psychanalystes, la maladie peut se comprendre comme l'incapacité à effectuer ce travail de deuil. « Si l'individu n'est pas capable d'élaborer le traumatisme de la perte, entre autres par la créativité, il peut en "tomber malade" », écrit ainsi André Haynal[12] qui fait un parallèle avec le travail d'élaboration — le *working through* — de la psychanalyse. La créativité à laquelle ce psychanalyste fait allusion, puisqu'il évoque Michel-Ange travaillant à la *Pietà*, Beethoven composant la *Neuvième Symphonie* ou Mahler rédigeant la *Symphonie inachevée*, qui cherchent par là « à surmonter le pressentiment de leur mort prochaine », est surtout artistique. Toutefois, nous l'avons vu, cette créativité artistique qui n'est pas donnée à tout le monde n'est qu'un aspect de la créativité en général, personnelle, celle qui permet de s'exprimer, d'imaginer, d'être acteur de sa vie. Pour le médecin suisse, également psychanalyste, H. Ellenberger[13], le « tournant de la vie » peut se traduire par une maladie qui « guérit » ensuite spontanément, entraînant un sentiment d'exaltation et de libération.

Cette maladie créatrice opère une sorte de métamorphose profonde et entraîne un changement radical dans l'existence et la vie intérieure. Sans aller jusqu'à l'« illumination », inadaptée à la réalité extérieure, certains patients sortent en effet transformés d'un épisode psychopathologique, par exemple d'une dépression.

DE LA SUBLIMATION À L'HARMONIE

La sublimation, du mot latin *sublimatio* qui signifie élévation, prend en français par métaphore le sens de « transformation qui élève ». Elle permet, par exemple, de dériver des instincts en les élevant vers des buts altruistes ou spirituels. Ainsi, dans *Les Contemplations*, Victor Hugo parle de la sublimation de l'homme par l'amour. Quant au philosophe Gaston Bachelard, il rappelle qu'elle ne se présente pas toujours « contre » des instincts, mais peut être « pour » un idéal [14].

Comme la philosophie ou la recherche intellectuelle, l'art et la religion sont deux moyens exemplaires permettant de sortir des inquiétudes et des insatisfactions existentielles. La sublimation artistique ne nécessite pas un talent de célébrité, elle peut très bien s'accommoder de dispositions plus discrètes, telles que la pratique d'un instrument de musique, le maniement du pastel ou du fusain, ou quelques dons pour sculpter la pierre, la terre ou le bronze. Une étude sur un groupe de douze femmes entre 40 et 50 ans a ainsi établi le bénéfice d'une activité de peinture artistique : toutes les participantes faisaient un bilan de passivité dans les années passées, marquées par un sentiment de dépendance à l'égard de leurs parents puis de leur conjoint et au service de leurs enfants ; cette activité picturale les avait protégées contre la dépression qui les guettait [15].

Certains, face au doute existentiel, vont préférer se rac-crocher à la recherche spirituelle, en particulier à travers la religion, qui est un autre mode de sublimation. Nombreux sont ainsi ceux qui, croyants sans être pratiquants, reprennent au midi de la vie le chemin de leur lieu de culte.

Marie-Noëlle, 46 ans, catholique « peu pratiquante depuis la communion de mes enfants », a voulu s'intégrer au groupe de réflexion de sa paroisse. « Au début, c'était très difficile, explique-t-elle. Pendant plusieurs mois, j'ai eu le sentiment de retrouver les mêmes bassesses qu'ailleurs, des petites luttes stupides d'influence ou d'ego... J'ai persisté quand même... D'autres nouveaux sont arrivés depuis peu et j'ai des échanges plus fructueux. Je retrouve l'impression que l'on peut être utile, en particulier auprès des jeunes. »

On note depuis quelques années un engouement récent des stars hollywoodiennes quadragénaires pour le bouddhisme, religion plus « souriante » que le judéo-christianisme, qui paraît s'étendre auprès d'Occidentaux en mal de sens existentiel. Si certains fustigent l'idolâtrie chez les disciples occiden-taux du dalaï-lama [16], d'autres témoignent de leur authentique recherche de sens. C'est le cas de Mathieu Ricard, fils de l'académicien J.-F. Revel. Dans ses deux livres récents [17], il témoigne de la transformation de sa vie de scientifique de haut niveau après ses rencontres avec les maîtres bouddhistes tibétains et de l'harmonie existentielle trouvée bien au-delà de la réussite au sens social ou intellectuel.

Sans aller jusqu'à une aussi profonde reconversion existen-tielle, Jacques Gauthier montre à travers son témoignage comment la CMV peut être l'occasion d'une nouvelle rencontre avec Dieu et avec soi-même [18]. Dans un entretien, il raconte comment, après sept années de doute et de découragement, malgré une vie apparemment comblée de mari aimé, de père de famille nombreuse, d'écrivain publié, il est sorti de l'im-passe à la suite d'une pneumonie gravissime : « Je suis sorti

de cette crise alors que nous entrions dans l'année du cente-
naire de Thérèse de Lisieux, celle qui nous a invités à "supporter avec douceur nos imperfections". La rencontre avec
Thérèse — et les retrouvailles avec la foi — a signé la fin de
ma quarantaine[19]. »

De la mondanité à la prière

On trouve dans la religion catholique des exemples remarquables de
remise en question qui accompagnent les changements du milieu
de la vie. Au xviie siècle, c'est la vie de Rancé, réformateur de l'ordre
cistercien, retracée par Chateaubriand[20]. Ce prêtre mondain jusqu'à
37 ans, après avoir été très affecté par la mort de son amie Mme de
Montbazon, abandonne ses biens et sa vie de salon, et se retire à
l'abbaye de la Grande Trappe en Normandie. Après une phase de
« maladie créatrice », il va y vivre une nouvelle créativité religieuse,
introduisant une réforme rigoureuse des Cisterciens et donnant
naissance à l'ordre très strict des Trappistes. Au xixe siècle, c'est
Charles de Foucauld, dont l'influence sur la spiritualité chrétienne
du milieu du xxe siècle a été importante : explorateur d'abord, celui-
ci entreprend, après une vie brillante et dissolue, une mission scientifique au Maroc qui le transforme profondément. Ordonné prêtre à
33 ans, il vit en ermite et se fixe dans le Hoggar où il se consacre à
l'étude et à la prière jusqu'à sa mort.

   Bien sûr, cette harmonie existentielle, trouvée ou retrouvée
au midi de la vie, ne passe pas seulement par la sublimation.
Quoi de plus difficile à définir, du reste, que cette notion
d'harmonie, si tant est qu'elle puisse s'étendre en permanence
et tous les jours à une vie, auquel cas ce serait plutôt la
béatitude ? Plus prosaïquement, le psychologue américain
contemporain Carl Rogers, qui a travaillé sur la relation

médecin-malade dans une optique différente de la psychanalyse, a développé la notion de « congruence[21] » que l'on peut
définir comme la capacité d'intégrer à nos aptitudes et aspirations profondes les informations et expériences que nous a
apportées la vie depuis notre petite enfance. C'est elle qui permet, en quelque sorte, une concordance entre ce que nous
sommes vraiment et ce que nous avons fait ou accompli — « il
faut que la personne en vienne à être ce qu'elle est », écrit ainsi
Rogers.

Nous avons déjà insisté sur l'aspect identitaire de la CMV,
véritable recherche, pour l'individu qui en fait les frais, de sa
propre authenticité. La « congruence » fait défaut lorsque
nous nous sentons en décalage avec l'image que nous donnons
de nous (parfois même à nos proches), lorsque nous avons le
sentiment de nous être conformés aux désirs des autres
(parents, famille) plutôt qu'à nos propres désirs, ou encore
lorsque nous n'avons pas accompli les idéaux auxquels nous
aspirions dans notre jeunesse. C'est parfois seulement après
avoir fait l'épreuve d'une CMV que certains s'octroient enfin
le droit de choisir ce qu'ils veulent, ce qu'ils pensent et croient
être vraiment. Ainsi Jean-Louis Servan-Schreiber propose-t-il,
à partir de la quarantaine, de passer « des figures imposées
à des figures libres », de faire non plus « ce qu'il faut » mais
ce qui nous convient, ce que nous aimons vraiment[22]. L'harmonie dans ce sens passe ainsi par une libération vis-à-vis du
regard des autres : qu'il soit approbateur ou réprobateur, cette
liberté éventuellement égoïste permet d'essayer de vivre pour
son propre compte, en portant l'entière responsabilité de ses
choix.

Étienne, 41 ans, en parle à propos de son homosexualité
qu'il parvient à assumer après plusieurs années difficiles :
« C'est impossible d'en parler ouvertement dans ma famille,
mais pour moi c'est enfin acceptable. Avec mon ami, pour
l'instant, nous avons choisi de vivre séparément, mais je me

suis enfin engagé dans cette relation et j'ai enfin l'impression d'être en accord avec moi-même. Le regard des autres, je le ressens toujours, mais je m'en suis affranchi. »

Ne plus avoir à prouver aux autres ce que nous sommes et ce dont nous sommes capables est une étape de sérénité. C'est donc avant tout d'une harmonie avec soi-même qu'il s'agit, et cela implique parfois une rupture avec son entourage. Les renoncements, les regrets ne l'empêchent pas, à condition qu'ils n'occupent pas le devant de la scène. Peut-être même sont-ils souhaitables en quantité raisonnable pour continuer à se projeter encore en avant, faire preuve de curiosité et d'inventivité, entretenir et renouveler le désir de vivre.

Conclusion

Une nouvelle adolescence ?

À plusieurs reprises, en évoquant quelques témoignages, nous avons fait un parallèle entre la CMV et l'adolescence. D'où vient cette idée ? Les premiers à faire cette analogie spontanément sont ceux qui traversent une CMV ou qui l'ont vécue. En rébellion tardive contre leurs parents, à la recherche quelquefois maladroite de leur identité. Voici comment ils en parlent : « J'aurais mieux fait de faire une bonne crise d'adolescence », dit une mère de famille ingénieur de 40 ans, qui a attendu la naissance de son troisième enfant pour laisser éclater sa révolte contre ses parents et toute une institution familiale tyranniques. « J'ai l'impression de faire ma crise d'adolescence à retardement », dit cet enseignant de 45 ans, ex-enfant sage, et maintenant ex-père de famille rangé, après avoir quitté quelques mois puis réintégré son foyer. Parfois, c'est l'entourage qui en parle : « On dirait qu'il joue au jeune homme », dit une patiente désemparée face au changement d'allure et aux velléités d'indépendance de son mari... Car parfois, en effet, le changement de « look » — tenue vestimentaire, coupe de cheveux — vient compléter extérieurement le remaniement intérieur.

Une seconde chance

De fait, parmi ceux que nous avons rencontrés en tant que patients ou hors cadre thérapeutique, beaucoup, si ce n'est la grande majorité, ont eu une adolescence marquée soit par l'absence de crise, soit par la survenue à ce moment-là d'un épisode d'allure dépressive. Comme si la crise d'adolescence avait ainsi été « escamotée »... Soit ils ont eu avec leurs parents une relation d'étroite dépendance, attachés à se conformer aux désirs et aux attentes autoritaires de ceux-ci, qu'ils ressentent *a posteriori* comme étouffante, soit ils ont, inversement, connu dès leur enfance une insuffisance d'attachement, livrés à eux-mêmes par des parents distants ou avares de manifestations affectueuses par exemple, avec dans les deux cas des problèmes de distance à autrui. Soit, encore, ils ont vécu des situations familiales qui les ont très tôt responsabilisés — décès de l'un des parents ou divorce au moment de l'adolescence par exemple — avec la tâche de soutenir le parent resté seul, et de ce fait l'entrée précipitée dans la maturité et la responsabilisation de l'âge adulte. Faut-il y voir un lien de causalité ? Ce qui apparaît à coup sûr, c'est le caractère très aléatoire des choix au cours de leurs adolescences, plus encore peut-être que dans toute adolescence : étaient-ce vraiment des décisions personnelles, des consentements aux idéaux projetés par les parents ou des choix d'opposition radicale pour s'affirmer ?

De fait, la CMV ressemble bien à une deuxième adolescence, provoquant une reviviscence pulsionnelle dans plusieurs domaines : pulsions érotiques ou sexuelles, désir de puissance ou de domination (argent, pouvoir, réussite sociale), ou encore désir et recherche d'un idéal de vie, un idéal de soi-même. Révolte tardive, étape de désillusion ou crise d'identité à retardement, tout se passe comme si la vie se révélait construite jusque-là sur des bases erronées.

Déçu, en perte d'illusion, le quadra en crise va tenter, et parfois réussir, de se reconstruire, d'acquérir davantage de sérénité et de maturité. Insistant sur la résurgence, au midi de la vie, des aspirations étouffées pendant l'adolescence, D. Levinson[1], déjà plusieurs fois cité, évoque les aspects négligés de soi-même qui cherchent alors à s'exprimer de façon urgente : « Les voix muselées pendant des années méritent maintenant d'être entendues [...] celle d'une identité prématurément rejetée, d'un amour perdu, d'une valeur abandonnée, d'une image intérieure non poursuivie (devenir athlète, nomade, artiste ou prêtre)... » L'académicien Maurice Druon, plutôt sombre, voire cynique dans sa vision du quadragénaire, reprend lui aussi le thème : « On dirait parfois, écrit-il, qu'il reproduit certains états, certaines attitudes, certaines révoltes de l'"âge ingrat". En fait, il traverse et subit une deuxième adolescence. La première c'était l'adolescence de la vie. Cette fois, il est en train de franchir l'adolescence de la mort. Et quand il ressort de cette période amère, il est enfin adulte[2]. »

Faut-il aller jusqu'à dire que la crise d'adolescence et la crise du milieu de la vie n'en font qu'une ? L'idée a été suggérée au cours d'une très sérieuse discussion entre psychiatres[3]. Cette longue crise commencerait à l'adolescence. Elle permettrait, notamment, la mise en forme d'idéaux, lesquels se trouvent progressivement confrontés à la réalité pendant le début de l'âge adulte, puis s'ajustent plus ou moins définitivement aux alentours de la quarantaine.

Une telle conception revient, évidemment, à étendre excessivement la notion de crise et à remettre en cause l'adolescence en tant que crise quasi universellement reconnue. C'est pourtant bien ce que ressentent nombre d'adultes quadragénaires qui vivent ces années plutôt tranquillement. Certes, ils ont la perception de changements et de renoncements inéluctables, mais ils ont aussi, en même temps, le sentiment de parvenir, après des ajustements successifs, à vivre en accord avec certains de leurs idéaux de jeunesse et à pouvoir s'exprimer plus librement, tout en étant moins dépendants du regard d'autrui.

UNE ÉTAPE VERS LA MATURITÉ

C'est encore par analogie avec l'adolescence que la sociologue Claudine Attias-Donfut propose le terme nouveau de « maturescence[4] » pour désigner cette période du midi de la vie où resurgit de manière privilégiée la relation au corps et au temps. Reprenant le terme comme titre de son livre[5], la psychologue M. Gognalons-Nicolet traite, sous l'angle psychosociologique, des transformations de la vie familiale et professionnelle au cours de cette période. La maturescence y est envisagée comme un véritable « carrefour du vieillissement », une remise en question de l'identité sociale, nécessaire, voire indispensable pour éviter les sentiments de désespoir et d'impuissance. Elle correspond en quelque sorte au « nouvel âge » dont nous avons déjà parlé, cette deuxième partie de l'âge adulte aux limites chronologiques floues qui n'est ni la jeunesse ni la vieillesse, mais prépare celle-ci dans les sociétés postindustrielles. Par là, la CMV pourrait être considérée comme une étape évolutive vers la maturation de l'individu. Plusieurs auteurs ont d'ailleurs envisagé la crise d'adolescence et celle du milieu de la vie comme des étapes d'un même processus de maturation : le processus de séparation-individuation.

Ce processus complexe a d'abord été décrit par la psychiatre psychanalyste Margaret Mahler[6] à partir de l'observation des nouveau-nés et des relations mère-enfant. Il lui sert à désigner la séparation progressive du petit enfant autour de sa deuxième année (entre 18 mois et 3 ans) après la phase de symbiose normale avec sa mère où tout se passe comme s'ils constituaient une unité duelle, à l'intérieur d'une frontière unique commune. Le processus de séparation-individuation s'organise selon deux lignes directives : l'une aboutit au détachement progressif et à la perception des limites avec la mère ; l'autre à l'individuation et au développement des fonctions autonomes (perception, mémorisation, etc.). Selon Mahler, l'insuffisance de cette séparation ou, au contraire, son caractère trop brutal favoriserait certains troubles psychiatriques du registre des psychoses qui retentissent gravement sur l'autonomie psychique des sujets. Sans aller jusque-là, il est probable que ce processus influence très longuement le fonctionnement psychologique des individus, et que son insuffisance conditionne des attachements prolongés, non pathologiques, mais contraignants et souvent masqués ; les liens trop forts empêchent de nouvelles rencontres. Or la vie est une succession de rencontres et de séparations qui nous déstabilisent momentanément.

Dans cette perspective, l'adolescence devient la deuxième étape de ce processus de séparation-individuation en raison de l'analogie entre la prise d'indépendance de l'adolescent vis-à-vis de sa famille et celle du nourrisson qui peu à peu se perçoit comme individualisé de sa mère. Pour l'adolescent, c'est avec sa famille qu'il doit prendre ses distances par un jeu d'interactions complexes. Entre craintes et désir d'autonomie, entre rébellion et envie de régresser, il teste ses parents, leur propre désir ou au contraire leurs réticences à le voir s'affirmer. Il cherche sa voie, partagé entre le souci de conformité à leurs souhaits et son besoin de liberté, quitte parfois à faire des choix radicalement opposés à leurs valeurs. Cette deuxième étape pourra, ou non, se faire vers l'autonomie, selon le déroulement de la première.

La CMV serait alors le troisième temps fort de ce même processus engagé dès les premiers mois de vie. Comme à l'adolescence, il s'agirait de se resituer par rapport à ses parents et à son histoire familiale, d'accepter en soi la cohabitation de forces destructrices et créatrices, et de concilier son besoin d'attachement aux autres avec cet autre désir de trouver, ou retrouver, une certaine liberté, « la remise en question, l'aspiration à une nouvelle vie et les doutes convenant autant à cette période qu'à l'adolescence [7] ». Reste à savoir comment les utiliser en tenant compte de ce qui a déjà été construit. Se séparer à nouveau, rompre certains attachements pour devenir davantage soi-même est l'un des enjeux de la CMV. Celui ou celle qui n'a pas surmonté les difficultés des précédentes étapes de séparation aura aussi du mal à rester solide dans son identité au moment où ses parents risquent de le quitter définitivement et où ses enfants menacent de partir vivre leur vie. En d'autres termes, si l'individu a jusque-là été trop dépendant affectivement de son entourage, il ne lui restera que la résignation ou la maladie comme seule solution ; si ses attachements, au contraire, ont été superficiels ou insuffisants, il sera davantage tenté par le changement, voire la rupture.

QUE FAIRE DE CETTE DEUXIÈME ADOLESCENCE ?

La CMV, vue sous l'angle d'une deuxième adolescence, conduit-elle à devenir adulte ? Dans certains cas, la réponse est oui ; dans d'autres, non. Voici trois parcours possibles pour cette nouvelle adolescence.

L'éternel adolescent

Certains d'entre nous ne veulent pas devenir adultes. Ils préfèrent devenir « vieux sans être adultes », comme le dit Jacques Brel dans *Les Vieux Amants*, ce qui demande bien du talent... Brel, justement, quitte la scène en pleine gloire et commence vers 39 ans une nouvelle vie polynésienne avec sa compagne. Beaucoup de poètes, d'artistes, de chanteurs ou de gens « ordinaires » refusent l'idée de devenir adultes qu'ils associent à celles de sérieux et d'embourgeoisement. Ainsi Edgar Morin, qui écrit *Le Vif du sujet* à l'âge de 41 ans alors qu'il est malade, dit-il qu'il ne se reconnaît pas dans son âge : « Cet âge me paraît impossible. Rien en moi n'est adulte. Le mot de monsieur, appliqué à moi, me semble inadéquat, non seulement dans son ridicule bourgeois mais dans son sérieux adulte. Et pourtant, je parle maintenant des "jeunes". À vingt ans, je me tordais d'angoisse à multiplier mon âge par deux. Maintenant[8]... »

Souvent, ces éternels adolescents paraissent instables, soit par leur parcours professionnel, soit dans leur vie personnelle. Ils refusent une forme de sécurité, l'ancrage dans le conformisme. Ils font partie des « philobates » de Balint[9], ceux qui aiment se déplacer, par opposition aux « ocnophiles » qui aiment s'accrocher aux objets, aux personnes ou aux situations. Ils se méfient et deviennent anxieux lorsqu'un lien se prolonge durablement ; ils cherchent les « espaces » où ils se sentent plus libres. Le mythe du perpétuel renouvellement — et de la jeunesse perpétuelle ? — pourrait bien être leur idéal.

Christophe, 46 ans, photographe, fait partie de ces « vieux adolescents ». Physiquement, il assume parfaitement quelques rides et quelques cheveux grisonnants qui n'enlèvent rien à son allure d'acteur de cinéma. Mais on sent bien chez lui le refus d'endosser le statut d'adulte. Il a deux enfants, de mères différentes avec lesquelles il a vécu peu de temps. Ce qui le plonge dans un profond dilemme aujourd'hui, c'est le désir de sa compagne actuelle de se marier : « Je suis attaché à elle, mais pour moi c'est une idée très angoissante. J'ai l'impression de me renier. Ça représente un engagement d'adulte presque insurmontable, auquel je me suis jusque-là toujours refusé. Pourtant, une partie de moi se dit "pourquoi pas ?". Peut-être que je pense à ma vieillesse future... »

Comme Christophe, les éternels adolescents ne sont pas à l'abri des remises en question de la mi-vie. Les contraintes qu'ils avaient refusées laissent place à d'autres. Les convictions de non-engagement se mettent à vaciller. Malgré tout, ils s'arrangent pour prolonger le plus longtemps possible cette adolescence. Comme si les crises et les changements donnaient du sel à leur existence...

Les néo-adolescents

Ceux-ci ont construit une vie apparemment stable, familiale, professionnelle, sociale. Ils apparaissent « bien dans leur peau ». Mais ils ont soudain l'impression d'avoir avancé par devoir, par obligation, par souci de « faire ce qu'il faut ». Un patient m'a ainsi dit un jour : « J'en ai assez d'être dans un moule, j'ai besoin d'en sortir. » Même s'ils ont enlevé leur alliance, même s'ils se mettent à s'habiller comme leurs enfants, s'ils vont aux mêmes concerts, ils ne quittent pas pour autant le foyer ni ne bouleversent leur vie. Après dix ou vingt ans de vie « rangée », ils ont envie de se prouver qu'ils peuvent recommencer quelque chose.

Christine a 45 ans, trois enfants de 20, 18 et 5 ans, un mari, une profession libérale qu'elle exerce à mi-temps et une allure de jeune fille. Il y a sept ans, c'était une mère tranquille qui s'occupait de ses deux enfants, de ses parents et grands-parents, s'habillait « classique » et faisait figure d'épouse rangée. En un an, après une aventure extraconjugale de plusieurs mois, elle a rajeuni, a mis fin à cette parenthèse amoureuse, puis a décidé de faire son troisième enfant, une petite fille couvée par ses grands frères.

Aujourd'hui, ses grands-parents sont décédés. Elle voyage souvent pour son métier auquel elle a donné une nouvelle impulsion, part en week-end de temps en temps avec ses amies. « Je suis sortie puis rentrée dans les rails, j'avais besoin de cette nouvelle adolescence après vingt ans d'une existence si parfaite. J'ai l'impression d'avoir recommencé une nouvelle tranche de vie. »

Comme Christine, le néo-adolescent ne rompt pas forcément avec sa vie. Il peut la continuer après un détour éventuel, avec moins de chaînes et davantage de liberté intérieure. Il a besoin d'un peu de rêve, d'une parenthèse. Il a rarement eu une adolescence mouvementée, il a souvent satisfait ses parents parce que d'emblée il s'est engagé dans une voie qui leur convenait — études, mariage... D'où peut-être ce besoin, au midi de la vie, de sortir du rang. Pour respirer ou pour prendre de la distance, comme s'il se sentait à l'étroit dans un vêtement devenu trop petit. Cela peut durer quelque temps ou bien le conduire à changer de direction.

Les ex-adolescents

Quarante, cinquante ans : c'est parfois seulement à cet âge que l'on devient vraiment adulte, que survient le moment pour la première fois de prendre des décisions vraiment personnelles. C'est un peu ce qui arrive au personnage principal du film de Manuel Poirier *Les Femmes... ou les enfants d'abord* (2002), dont les protagonistes abordent tous le tournant de la mi-vie. Le personnage principal est un quadragénaire attachant, père de famille, dont on sent bien, malgré ses efforts, qu'il a du mal à entrer dans son rôle de père moderne impliqué dans le partage des tâches. Il résiste aux tentations érotiques qui se présentent à lui, mais il reste un adolescent encore rêveur. Sa vie bascule lorsqu'il apprend qu'il a eu, juste avant de se marier, une fille qui a maintenant une dizaine d'années. Non seulement il la reconnaît, mais l'intègre, avec l'aide et l'accord de sa femme, à leur famille. En prenant cette double décision, il prend en main sa vie d'adulte responsable et de père investi. À la fin du film, on perçoit dans les changements de son comportement une maturité épanouie.

C'est aussi une histoire d'enfant qui a fait entrer Fred, un de mes patients, dans cette maturité sereine après une période de doute très douloureuse.

Fred n'a jamais voulu d'enfant « pour ne pas reproduire les schémas de sa relation avec ses parents ». À 41 ans, sa compagne à peine plus jeune lui a posé plus qu'un ultimatum : elle l'a mis devant le fait accompli d'une grossesse. « Je ne l'ai pas supporté, je lui ai demandé de réfléchir tant qu'il était encore temps et je n'ai pas pu faire autrement que de partir », me dit-il juste après cette décision difficile. Il lui faudra presque le temps de cette grossesse pour surmonter une véritable torture intérieure et finalement accepter cette paternité, cet enfant auprès duquel il est maintenant très investi, et revenir vers sa compagne. « Ce n'est pas seulement le fait d'être père qui m'a transformé, c'est le fait d'avoir pris cette décision, cette responsabilité qui maintenant me remplit de bonheur et de confiance en moi », déclare-t-il.

Sortir de l'adolescence, c'est aussi, plus tristement, accepter de renoncer à un idéal et, quelles qu'en soient les raisons, se résigner à ne pas avoir réussi dans certains domaines. Comme Annabelle qui voulait faire carrière et avoir une famille nombreuse : « J'ai fait passer ma carrière en premier, j'ai eu une fille, mais la nature n'a pas voulu que je sois à nouveau enceinte. » Ou comme Antoine, enseignant et fils d'enseignant, qui rêvait d'être grand reporter : « Mon père est mort très jeune, j'ai voulu rester près de ma mère, j'ai été trop "frileux", j'en suis réduit à rêver à travers la lecture. Maintenant ça me pousse à voyager, ce qui me console un peu, et j'incite mes enfants à le faire, à s'orienter vers des métiers plus exaltants. »

Enfin, dans une optique plus sombre, c'est quelquefois la confrontation à la réalité de la mort qui rend enfin adulte, même si jusque-là nous nous en approchions par progressions successives.

Béatrice est venue consulter pour la première fois à 38 ans, après la mort de sa mère. Elles dirigeaient ensemble une entreprise familiale. Malgré des diplômes bien supérieurs, Béatrice se tenait en seconde position, parfois agacée par l'autoritarisme de sa mère. Cette période de deuil a été très douloureuse. Pourtant, trois ans après, Béatrice ose dire que, d'une certaine façon, cela a pu être bénéfique pour elle : « Psychologiquement, il était temps que je règle un certain nombre de choses dans notre relation. Sur le plan professionnel, j'ai pu prendre ma place dans cette entreprise à laquelle je tiens, y imprimer ma marque et m'approprier vraiment mon rôle. »

S'approprier sa vie, son avenir, pourrait bien correspondre à une définition de la maturité adulte. Celle-ci sous-entend aussi d'autres attitudes : ne plus subir les changements mais y contribuer, non pas dans une fuite en avant mais en ayant le sentiment de choisir nos décisions, arriver à nous détacher du regard que les autres portent sur nous et parvenir à nous faire confiance sans avoir besoin de l'approbation de ces autres.

Peut-on prévoir la résolution de la crise ?

Il est évidemment impossible *a priori* de dire comment se dénouera la crise. En revanche, l'analyse de certains facteurs permet d'évaluer ceux qui sont susceptibles de jouer un rôle stabilisateur ou au contraire de la catalyser. On peut les répartir en deux groupes :

1. *Les facteurs liés aux capacités individuelles de chacun.* Nous avons déjà parlé de l'aptitude à prendre de la distance vis-à-vis de soi-même et de la faculté d'*insight* pour tenter d'analyser et de comprendre ses propres réactions psychologiques. Un autre élément individuel important est lié à nos mécanismes d'idéalisation. L'idéalisme « raisonnable » est, à coup sûr, nécessaire dans l'existence, pour progresser et s'obliger parfois à se dépasser. Excessif, il fait courir le risque de la désillusion par inadéquation entre idéal et réalité. Comme l'écrivait Kierkegaard, « mon malheur en somme, ce fut au moment où je vivais dans une grossesse d'idées, de m'être hypnotisé sur l'idéal ; c'est pourquoi j'enfante des avortons et c'est ce qui empêche la réalité de correspondre aux désirs qui me brûlent [10] ».

2. *Les facteurs liés à l'entourage*, en particulier à la famille au sens large (conjoints, fratrie, oncles ou tantes, cousins) et aux amis, aux relations que nous entretenons et aux possibilités d'échanger sur des sujets personnels.

Le tableau ci-dessous permet de comparer ces différentes données et de les classer en facteurs de risque ou de protection :

	Facteurs de protection	Facteurs de risques
Intérieurs	— capacité d'introspection — capacité de distance à soi-même — souplesse dans la résolution des conflits intérieurs, relativisation — réalisme	— faible introspection — difficultés à prendre de la distance — rigidité des modes de pensée et de fonctionnement psychologique — idéalisme excessif
Entourage	— présence — stabilité, cohésion souple — capacité d'attention — capacité d'aide	— absence — entourage en crise, faible cohésion — indifférent ou préoccupé par ses propres problèmes — dominant, étouffant ou, au contraire, dépendant
Relation individu/ entourage	— relations de confiance avec au moins un membre de son entourage — échanges personnels	— relations pauvres ou mauvaises avec l'entourage — échanges factuels ou informatifs

Facteurs de pronostic de la crise.

•

Et voici, maintenant, schématisés selon l'équilibre entre ces deux types de facteurs, quelques aspects, non exhaustifs, de l'évolution de la CMV :

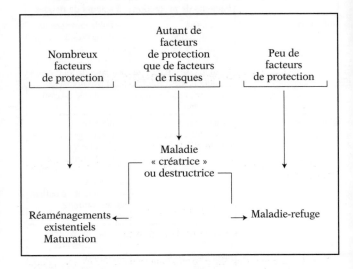

De même qu'une adolescence très perturbée peut se résoudre après coup par une entrée apaisée dans la vie d'adulte, de même une CMV très mouvementée peut se terminer par la découverte ou les retrouvailles avec un nouvel équilibre. De la « résignation constructive » à l'« optimisme tragique[11] », du désespoir à la sérénité, beaucoup de compromis existent entre les rêves antérieurs, l'idéal et la réalité présente. Ils représentent autant d'issues favorables. Parvenir à un mélange harmonieux de renoncements et d'aspirations nouvelles : voici ce qui pourrait définir une crise et un milieu de vie réussis.

Notes et références bibliographiques

Avant-propos

1. D. Levinson, *The Seasons of a Man's Life*, New York, Ballantine Books, 1978.

Chapitre premier

Le tournant de l'âge mûr

1. A. Chamfrault, Ung Kang Sam. *Traité de médecine chinoise*, Paris, Coquemard, 1973.
2. D. Levinson, *op. cit.*
3. G. Sheehy, *Passages. Les crises prévisibles de l'âge adulte*, Paris, Belfond, 1977.
4. M. Porot, *Psychologie médicale du praticien*, Paris, PUF, 1976.
5. E. Erikson, *Enfance et société*, Neuchâtel, Delachaux et Niestlé, 1966.
6. W. B. Pittkim, *Life Begins at Forty*, New York, Mac Graw Hill, 1932.
7. D. Laufer, *Quarante Ans*, Paris, Plon, 1990.
8. J.-L. Curtis, *La Quarantaine*, Paris, Le Livre de poche, 1970.
9. « L'homme de quarante ans », *Janus*, 14, 2e trimestre 1967.
10. J. Gauthier, *La Crise de la quarantaine*, Paris, Fayard, « Le Serment », 1999.
11. J.-L. Servan-Schreiber, *À mi-vie. L'entrée en quarantaine*, Paris, Stock, 1977.
12. H. Maure, *La Cinquantaine au masculin*, Paris, Calmann-Lévy, 1983.

13. H. Maure, *La Cinquantaine au féminin*, Paris, Calmann-Lévy, 1988.

14. G. Barbarin, *La Vie commence à cinquante ans*, Paris, Dangles, « Savoir pour réussir », 1992.

15. S. de Beauvoir, *La Vieillesse*, Paris, Gallimard, 1970.

16. C. G. Jung, *L'Âme et la Vie*, Paris, Buchet-Châtel, 1976.

17. Jean de La Fontaine, « L'Homme entre deux âges et ses Deux Maîtresses », *Fables*, Livre VII.

18. A. Touati, « Les temps de la vie », *Journal des psychologues*, hors série, mai 1988.

19. M. Proust, *À la recherche du temps perdu*, Paris, Gallimard, « Folio ».

20. C. G. Jung, *op. cit.*

21. E. Jaques, « Mort et crise du milieu de la vie », *in Psychanalyse du génie créateur*, Paris, Dunod, 1976.

22. W. Allen, *Annie Hall*, film 1977.

23. J. Tauler, *Lettres aux amis de Dieu*, Paris, Cerf, 1960.

24. S. de Beauvoir, *op. cit.*

25. V. Franckl, *La Psychothérapie et son image de l'homme*, Paris, Bayard-Centurion, 1977.

26. *L'Express*, mars 1989.

27. E. Hurloch, *La Psychologie du développement*, Montréal, Mc Graw Hill, 1978.

28. C. Singer, *Les Âges de la vie*, Paris, Albin Michel, 1984.

29. R. N. Butler, « Psychology and psychiatry of the middle aged », 49, 3, 3009-3023, *in Comprehensive Textbook of Psychiatry of Kaplan, Freedman, Sadock*, 1968, 4ᵉ édition.

Chapitre II

Crise ? Vous avez dit crise...

1. P. Sivadon, préface de J.-C. Benoît, *L'Équipe dans la crise psychiatrique*, Paris, ESF, 1982.

2. D. Marcelli, A. Braconnier, *Psychopathologie de l'adolescent*, Paris, Masson, 1984.

3. E. S. Paykel, S. P. Mangen, « Inventaire d'événements de vie », *in L'Évaluation clinique standardisée en psychiatrie*, tome II, Paris, 1997.

4. M. Balint, *Les Voies de la régression*, Paris, Payot, 1972.

5. *Elle*, n° 2943, 27 mars 2002.

6. J. Sutter, *L'Anticipation*, Paris, PUF, 1983.

7. J.-P. Sartre, *Situations*, Paris, Gallimard, « NRF », 1956.

8. J.-L. Barrault, « Après la tempête », *Le Figaro littéraire*, 21-27 octobre 1968.

9. G. Jaoui, *Le Triple Moi*, Paris, Robert Laffont, « Réponses », 1979.

10. M. Gognalons-Nicolet, *La Maturescence*, Pierre Favre, 1989.

11. S. A. Waskel, « Intensity of midlife crisis on response to Death Concern Scale », *J. Psychol.*, mai 1992, 126 (2), 147-154.

12. S. A. Waskel, J. Coleman, « Correlations of temperament types, intensity of crisis at midlife with scores on a Death Scale », *Psychological Reports*, juin 1991, 68, 1187-1190.

13. P. K. Oles, « Torwards a psychological model of midlife crisis », *Psychological Reports*, juin 1999, 84 (3 Pr 2) : 1059-1069.

14. A. Kruger, « The midlife transition : crisis or chimera ? », *Psychological Reports*, 1994, 75, 1299-1305.

15. J.-P. Ellman, « A treatment approach for patients in midlife », *Canadian Journal of Psychiatry*, octobre 1992, 37 (8), 564-566.

16. C. G. Jung, *op. cit.*

17. A. Haynal, *Dépression et créativité*, Lyon, Cesura Éditions, 1987.

18. R. Kaes, « Introduction à l'analyse transitionnelle », *in Crise, rupture et dépassement*, Paris, Dunod, 1979.

19. A. Missenard, « Narcissisme et rupture », *in Crise, rupture et dépassement*, *op. cit.*

20. E. Jaques, « Mort et crise du milieu de la vie », *op. cit.*

21. A. Haynal, *Dépression et créativité*, *op. cit.* R. Kaes, « Introduction à l'analyse transitionnelle », A. Missenard, « Narcissisme et rupture », *in Crise, rupture et dépassement*, *op. cit.*

22. D. Anzieu, « Vers une métapsychologie de la création », *in Psychanalyse du génie créateur*, *op. cit.*

23. M. Escandre, M. Girard, F. Granier, I. Fournie Dejean, « Période du milieu de la vie, mort du père et créativité », *Communication au Congrès de psychiatrie et neurologie de langue française (1990)*, Paris, Masson, 1991.

Chapitre III

Les coulisses de la quarantaine

1. Y. Pelicier, *La Biographie et ses tensions*, Paris, Diogene, 1987.

2. D. Levinson, *op. cit.*

3. B. Neugarten, *Middle age et aging*, Chicago, Univ. Chicago Press, 1975.

4. E. Erikson, *Enfance et Société*, Neuchâtel, Delachaux et Niestlé, 1966.

5. R. Barthes, *Longtemps je me suis couché de bonne heure*, Paris, Seuil, 1984.

6. B. Golse, *Le Développement affectif et intellectuel de l'enfant*, Paris, Masson, 1985.

7. D. Marcelli, A. Braconnier, *Psychopathologie de l'adolescent*, *op. cit.*

8. F. Nourissier, *Les Comédies du vieillisement*, La Nef, Cahier n° 34, 1968.

9. J. de La Fontaine, « La Fille », *Fables*, Livre septième.

10. G. E. Pierard, C. Pierard-Franchimont, « Clinique et histologie du vieillissement cutané », *International master Course on Ageing Skin*, 1998, Objectif peau, 1998, vol. 7-48 (p. 91 à 94).

11. J. Raison, C. Oliveres-Guti, « Vieillissement cutané et nutrition », *Dermatologie pratique*, nº 229, 15 avril 1999.

12. D. Anzieu, *Le Moi-peau*, Paris, Dunod, 1986.

13. R. Spitz, *De la naissance à la parole*, Paris, PUF, 6ᵉ édition, 1979.

14. C. Koupernik, « La psychose de laideur ou dysmorphophobie », Entret. Bichat, *Expansion scientifique*, Paris, 1962.

15. Citées dans « La beauté cousue main » : Contribution à l'étude des problèmes psychologiques de la chirurgie esthétique de la face. F. Millet, Thèse pour le doctorat en médecine, Toulouse, septembre 1986.

16. J.-M. Vetel, « Le déficit neuro-biologique de la cinquantaine », *Revue du praticien*, 38, 25 (suppl.), 1988.

17. H. Allain, *Dopamine et vieillissement, Bases physiopathologiques.*

18. Y. Lamour, « Neurotransmetteurs et vieillissement cérébral », *Revue du praticien*, 38, 25 (suppl.) : 17-20, 1988.

19. G. Tordjman, « L'homme vieillissant », *Cahiers de sexologie clinique*, vol. 13, nº 80, 1987.

20. J. Voyron, « Attirance et pulsions sexuelles après 50 ans », *Cahiers de sexologie clinique*, vol. 19, nº 115, 1993.

21. J. Voyron, *op. cit.*

22. D. Wiel-Masson, « La cinquantaine chez l'homme : force ou faiblesse ? », *Cahiers de sexologie clinique*, vol. 17, nº 105, 1991.

23. W. Pasini, *À quoi sert le couple ?*, Paris, Éditions Odile Jacob, 1999.

24. Cité par L. Millet dans *La Crise du milieu de la vie*, Paris, Masson, 1993.

25. D. Laufer, *Quarante ans, op. cit.*

26. G. Lazorthes, *L'Homme, la société et la médecine*, Paris, Masson, coll. « Abrégés », 2000, 6ᵉ édition révisée et augmentée.

27. G. Lazorthes, *op. cit.*

Chapitre IV

Couple, enfants, parents, travail : entre réussite et rêves d'évasion

1. *Le Nouvel Observateur*, 27 février-4 mars 1992.

2. L. Millet, B. Dubarry de La Salle, J. Pon, « La nostalgie maternelle pathologique », *Ann. Med. Psychol.*, 138, 5, 1980, 587-595.

3. A. Lurie, *Conflits de famille*, Paris, Rivages, 1990.

4. C. Olievenstein, *Naissance de la vieillesse*, Paris, Éditions Odile Jacob, 1999. Coll. « Poches Odile Jacob », nº 7, 2000.

5. D. Marcelli, A. Braconnier, *Psychopathologie de l'adolescent, op. cit.*

6. M. Huret, J. Rémy, « Avoir un enfant tard », *Revue de gynécologie obstétrique*, *l'Express*, 26 juillet 2001.

7. F. Olivennes, « 40 ans : jeune pour la vie, âgée pour la reproduction ! », *La Lettre du gynécologue*, n° 246, novembre 1999.

8. J. Cohen, P. Madalenat, R. Levy-Toledo, *Gynécologie et santé des femmes. Quel avenir en France ?* Paris, Éditions ESKA, 2000.

9. P. Bruckner, *L'Euphorie perpétuelle*, Paris, Grasset, 2000.

10. W. Pasini, *Le Courage de changer*, Paris, Éditions Odile Jacob, 2001.

11. M. Gognalons-Nicolet, *La Maturescence*, *op. cit.*

12. X. Gaullier, *La Deuxième Carrière*, Paris, Seuil, 1982.

13-14. D. O. Born, J. N. Bradley, « Male dentists at midlife : an exploration of the one life/one career imperative », *Int. J. Aging and Human Development*, vol. 18, 1983-1984.

Chapitre V

L'âge adulte aujourd'hui

1. X. Gaullier, *La Deuxième Carrière*, *op. cit.*

2. M. de Montaigne, *Essais*.

3. M. Sidhom, « Baby-krach et pépé-boom », *L'Expansion*, 16 octobre 1980.

4. X. Gaullier, *op. cit.*

5. C. Attias-Donfut, *Sociologie des générations*, Paris, PUF, « Le Sociologue », 1988.

6. M.-Y. Gognalons-Nicolet, *La Maturescence*, *op. cit.*

7. P. Evans, F. Bartolomé, *Must Success Cost so much ? Avoiding the Human Toll of Corporate Life*, New York, Basic Books, 1980.

8. C. G. Jung, *L'Homme et ses symboles*, Paris, Robert Laffont, 1964.

9. E. Hurloch, cité par X. Gaullier, *op. cit.*

10. E. Badinter, *XY. De l'identité masculine*, Paris, Éditions Odile Jacob, 1992.

11. C. Collange, *Moi, ta mère*, Paris, Fayard, 1985.

12. M. Gognalons-Nicolet, *op. cit.*

13. A. de Vigny, cité par P. Bruckner, *L'Euphorie perpétuelle*, *op. cit.*

14. Pascal Bruckner, *op. cit.*

15. X. Gaullier, *op. cit.*

16. J.-L. Servan-Schreiber, *À mi-vie. L'entrée en quarantaine*, *op. cit.*

17. M. Hepworth, M. Featherstone, *Surviving Middle Age*, Oxford, Basic Blackwell, 1984.

18. X. Gaullier, *op. cit.*

Chapitre VI

La traversée de la crise

1. L. Millet, *La Crise du milieu de la vie*, Paris, Masson, 1993.
2. E. Jacques, « Mort et crise du milieu de la vie », *op. cit.*
3. D. Gutmann, « Individual adaptation in the middle years. Developmental issues in the masculine midlife crisis », *J. Geriatric Psychiatry*, 1976, 9, 1, 41-47.
4. S. D. Rosenberg et M. Farrel, « Identity and crisis in middle aged men », *Int. J. Aging and human development*, 1976, 7, 2, 153-170.
5. M. Klein, *Essais de psychanalyse*, trad. par M. Derrida, Paris, Payot, 1974.
6. L. Millet, *La Crise du milieu de la vie*, *op. cit.*
7. A. Tatossian, « Phénoménologie de la dépression », *L'Encéphale*, 1981, 7, 361-366.
8. CIM 10 (Classification internationale des maladies).
9. M. Escande, « La dépressivité. Structure défensive contre la dépression. L'exemple fameux de Charles Baudelaire », *Psy au quotidien*, novembre 1989, 9, 13-18.
10. M. Escande, « Des rapports entre créativité, narcissisme, dépressivité et dépression. À propos de Robert Schumann », *Psychologie médicale*, 1987, 19, 10, 1 777-1 779.
11. P. Male, *La Crise juvénile*, Paris, Payot, 1982.
12. M. Balint, *Les Voies de la régression*, *op. cit.*
13. Y. Pelicier, « Le syndrome de désinvestissement du sujet âgé », *Rev. Gériatrie*, 1981, 6, 325-328.
14. A. Porot, *Manuel alphabétique de psychiatrie*, Paris, PUF, 1952.
15. V. Jankélévitch, *L'Irréversible et la nostalgie*, Paris, Flammarion, 1974.
16. M. Bourgeois, « La souffrance et l'ennui », *Confrontations psychiatriques*, n° 42, 2000, 123-132.
17. J.-P. Dubois, *Kennedy et moi*, Paris, Seuil, 1996.
18. S. Freud, « Deuil et mélancolie », in *Métapsychologie*, Paris, Gallimard, « Folio », 1968.
19. F. Hartmann, « Dépression et toxicomanie », *in* J.-P. Olie, M.-F. Poirier, H. Loo, *Les Maladies dépressives*, Paris, Flammarion, « Médecine-Sciences », 1995.
20. J. Adès, « Les relations entre alcoolisme et pathologie mentale : données théoriques, cliniques, épidémiologiques et thérapeutiques », *in Compte rendu du Congrès de psychiatrie et neurologie de langue française*, t. III, Paris, Masson, 1989.
21. J. H. Mendelson, K. Mello, « The treatment of alcoholism : a reevaluation of the rationale for therapy », *Adv. Biol. Psychiatry*, 1973, 3, 11-19.
22. D. W. Goodwin, « Genetic factors in the development of alcoholism », *Psychiatry Clin. North Am.*, 1986, 9 (3), 427-433.

23. M. Pierret, *De quelques délinquants*, Paris, Janus 14.

24. P. Marty, M. de M'Zuzan, C. David, *L'Investigation psychosomatique. Sept observations*, Paris, PUF, 1963.

25. G. Besançon, « Théories en psychosomatique », *EMC Psychiatrie*, 1992, 37 400 C10, 8 p.

26. L. Israël, *Initiation à la psychiatrie*, Paris, Masson, 1985.

27. H. Maurel, *Actualité de l'hypocondrie*, Congrès de neurologie et de psychiatrie de langue française, Nîmes, 1975, Paris, Masson, 1976.

28. S. Follin, J. Azoulay, « Les altérations de la conscience de soi », *EMC Psychiatrie*, 1, 37, 125 A 10.

Chapitre VII

Les portes de sortie de la CMV

1. *Le Nouvel Observateur*, 27 février-4 mars 1992.

2. H. Prolongeau, *Partis sans laisser d'adresse*, Paris, Seuil, 2001.

3. M. Bourgeois, « Épidémiologie du suicide », *Confrontations psychiatriques*, n° 35, 1994.

4. J.-P. Lépine, J.-M. Chignon, M. Teherani, « Suicide attempts in patients with panic disorder », *Arch. Gen. Psychiatry*, 1993, 50, 144-149.

5. J. Echenoz, *Je m'en vais*, Paris, Éditions de Minuit, 1999.

6. D. Bona, *Romain Gary*, Paris, Gallimard, « Folio », 1987.

7. *Ibid.*

8. J. Bergeret, *La Personnalité normale et pathologique*, Paris, Dunod, 1974.

9. J. Gauthier, Entretien avec Luc Adrian, *Famille chrétienne*, n° 1 178, 10 août 2000.

10. J. Gauthier, *La Crise de la quarantaine*, Paris, Fayard/Le Serment, 1999.

11. « Un jour j'irai au boulot à cheval », *Libération*, lundi 28 mai 2001.

12. A. Haynal, *Dépression et créativité*, Paris, CLE, 1987.

13. H. Ellenberger, « La maladie créatrice. Dialogue », *Canadian Philosophical Review*, n° 3, 1964, 25-41.

14. G. Bachelard, *La Psychanalyse du feu*, Paris, NRF, coll. « Idées », 1949.

15. P. Laffite-Obadia, *Crise du milieu de la vie et création picturale*, mémoire de maîtrise de psychologie, Toulouse, UER Mirail, 2000.

16. P. Bruckner, *L'Euphorie perpétuelle*, *op. cit.*

17. M. Ricard, J.-F. Revel, *Le Moine et le Philosophe*, Universal, « Pocket », 1999 ; et M. Ricard, T. Yuan Thuan, *L'Infini dans la paume de la main*, Paris, Fayard, 2000.

18. J. Gauthier, *La Crise de la quarantaine*, *op. cit.*

19. J. Gauthier, Entretien avec Luc Adrian, *op. cit.*

20. R. de Chateaubriand, *Vie de Rancé*, Paris, Gallimard, « Folio Classique », 1986.

21. C. Rogers, *Le Développement de la personne*, Paris, Dunod, 1966.

22. J.-L. Servan-Schreiber, *À mi-vie. L'entrée en quarantaine*, *op. cit.*

Conclusion

Une nouvelle adolescence ?

1. D. Levinson, *The Seasons of a Man's Life*, *op. cit.*

2. M. Druon, « L'âge du pouvoir », *La Nef*, n° 34, 1968.

3. Intervention de J.-P. Chabannes, discussion du *Rapport du Congrès de psychiatrie et neurologie de langue française*, Paris, Masson, 1991.

4. C. Attias-Donfut, *Sociologie des générations*, *op. cit.*

5. M. Gognalons-Nicolet, *La Maturescence*, *op. cit.*

6. M. Mahler, « A study of the separation-individuation process and its possible application to border-line phenomenia in the psychanalytic situation », *The Psychanalytic Study of The Child*, XXVI, 1971.

7. D. Levinson, *op. cit.*

8. E. Morin, *Le Vif du sujet*, Paris, Seuil, 1969.

9. M. Balint, *Le Défaut fondamental*, Paris, Payot, 1977.

10. S. Kierkegaard, *Journal*, Paris, Gallimard, 1947.

11. E. Jaques, « Mort et crise du milieu de la vie », *op. cit.*

Remerciements

Je remercie Christophe André qui m'a incitée à écrire ce livre et dont les suggestions amicales m'ont été précieuses.

Merci également à Marie-Lorraine Colas pour sa collaboration et ses conseils éditoriaux constructifs.

Enfin, je remercie celles et ceux, amis et confrères, qui par leur intérêt ou leurs conseils bibliographiques ont accompagné ce travail.

Table

Ouvrage proposé par Christophe ANDRÉ

Photocomposition Nord Compo
Villeneuve-d'Ascq, Nord

Impression réalisée par

BRODARD & TAUPIN

La Flèche (Sarthe), le 19-04-2010
N° d'impression : 57260
N° d'édition : 7381-1693-5
Dépôt légal : février 2006

Imprimé en France